History of Chinese Culture

中国文化简史

王立——主编

魏晋南北朝
隋唐文化简史

风流与盛世

北京出版集团公司
北京出版社

图书在版编目（CIP）数据

风流与盛世：魏晋南北朝隋唐文化简史／王立主编. —
北京：北京出版社，2017.2
　　（中国文化简史）
　　ISBN 978-7-200-12676-1

　　Ⅰ. ①风… Ⅱ. ①王… Ⅲ. ①文化史—中国—魏晋南
北朝时代②文化史—中国—隋唐时代 Ⅳ. ①K235.03
②K240.3

中国版本图书馆 CIP 数据核字（2016）第 313209 号

丛书主编：王　立
主　　编：纪云华　杨纪国
编　　著：纪云华　杨纪国　王舜舟　王　超　王元崇
　　　　　徐　东　别志雷　冀永文　秦　超

中国文化简史
风流与盛世
魏晋南北朝隋唐文化简史
FENGLIU YU SHENGSHI
王　立　主编
*
北京出版集团公司
北 京 出 版 社　出版
（北京北三环中路 6 号）
邮政编码：100120
网　　址：www.bph.com.cn
北京出版集团公司总发行
新 华 书 店 经 销
北京华联印刷有限公司印刷
*
787 毫米×1092 毫米　　32 开本　　9 印张　　166 千字
2017 年 2 月第 1 版　　2017 年 2 月第 1 次印刷
ISBN 978-7-200-12676-1
定价：38.00 元
如有印装质量问题，由本社负责调换
质量监督电话：010-58572393

目 录

隋

魏晋南北朝

乱世中孕育的多元文化

魏晋南北朝是中国古代的一个乱世，在历史学家眼里甚至是一个黑暗的"战国时代"，仅大规模的动乱就有董卓之乱、八王之乱和永嘉之乱，小规模的动乱更是史不绝书。这些动乱所造成的破坏时至今日仍让人们为之动容。人口锐减、社会凋敝、经济衰退、文化事业几至于毁灭；长安、洛阳两大古都几度在战火中被夷为废墟，黄河中下游高度文明一再遭到洗劫。曹操的"白骨露于野，千里无鸡鸣"的悲凉诗句，以及《晋书·食货志》中记载的"及惠帝以后，政教陵夷，至于永嘉，丧乱弥甚。雍州以东，人多饥乏，更相鬻买，奔进流移，不可胜数。幽、并、司、冀、秦、雍六州大蝗，草木及牛马毛皆尽。又大疾疫，兼以饥馑，百姓又为寇贼所杀，流尸满河，白骨蔽野"，都是对这段浸润着斑斑血泪的历史的真实写照。

在中国几千年的文明史中，"分"与"合"交替出现。殷商、西周是一元官学时代；东周则离析出多元私学；秦汉又力加整合、几经试验，终于定型为以儒为宗，兼纳道、法、阴阳的一元帝国文化；魏晋南北朝近四百年间（185～581），社会支离，一元帝国文化随之崩解，这一时期的文化呈多元走向。概括来讲，魏晋文化是声威远播的大汉与多姿多彩的盛唐两次"合"之间的"分"，它在乱世孕育了自身，又孕育了后来的隋唐文化。

一、思想资源——走向多元

　　魏晋南北朝是中国历史上社会苦痛、政治混乱的悲剧时代，而在文化史家的眼里，魏晋南北朝却是精神解放、思想自由、文化多元的一个时代。这种多元虽非政治家的刻意加工，却也少不了政治家的重建需要。当时的特殊环境，使知识分子有时不得不屈身俯就，使自己的文化趋向

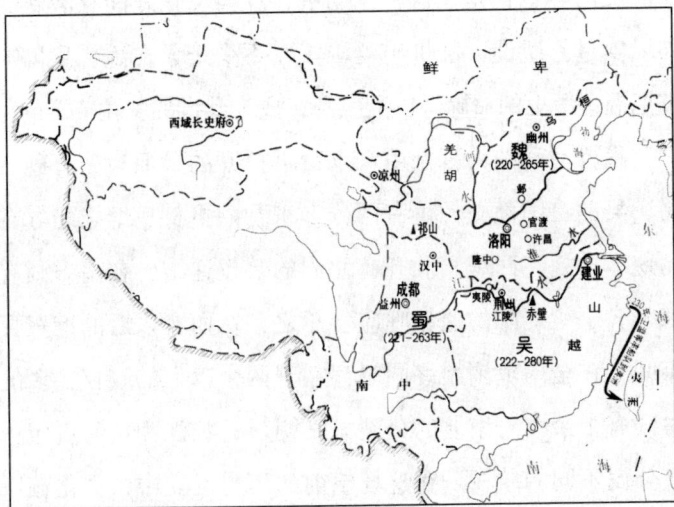

三国时期形势图

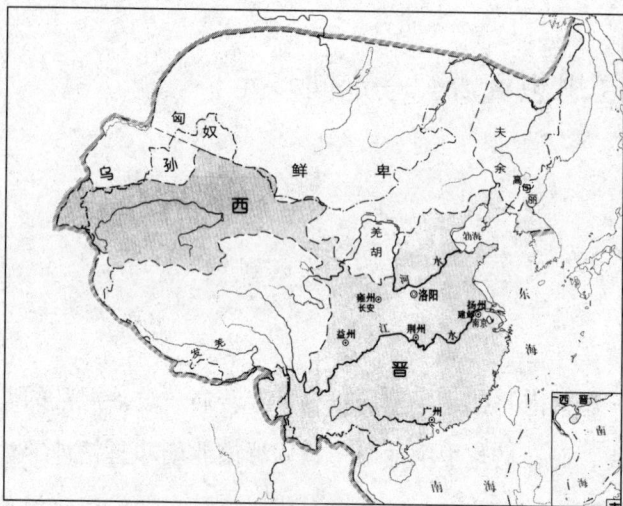

西晋时期疆域图

依从政治需要，当然有时也发于自己的内心积淀，做出必要的反动。也正是在这种反动下，社会文化才能有清新的劲风吹过。所谓"乱世出英雄"，不少士人在魏晋乱世牢牢把握了历史的命脉，以乱应乱，成为乱世的文化英雄。

魏晋动乱的大幕是由汉末董卓拉开的，而后先有魏、蜀、吴的三国鼎立，再有西晋、东晋的更替，继之北方有北魏、东魏、西魏、北齐、北周的政权递嬗，在南方则有宋、齐、梁、陈的遥相呼应。总之，在西晋以后的近三百年间，在全国范围始终同时存在着两个以上的政权，多的时候有十余个。南北的分裂尤其明显，长江和黄河流域一直分属不同的政权。在这场空前的历史巨变中，文化赖以生存的生态环境发生了令人瞩目的变化，文化也在积极地寻找着它的历史定位。

世家大族在两汉历史上担任着特殊的角色，但在帝国的专制统治下，世家大族还不足以左右历史的航向，这种潜在的割据势力也没有足够的时间找到独有的理论架构。汉帝国集权政治崩溃以后就不同了，魏晋以降，英雄蜂起，干弱枝强。世家大族崛起，其庄园自成社会，不仅经济实力雄厚，"闭门而为生之具以足"，而且拥有兼宗法、军事、生产于一体的私人武装——部曲。这使得豪门贵族具有参与政权的充分条件，而脆弱的朝廷也不得不依靠并拉拢豪门贵族，以取得他们政治经济的支持。于是，参政以出身门第为首要因素，魏文帝曹丕开始推行"九品中正制"，由士族门阀代表出任州郡"中正"，中正根据家世、才德将辖区人才列为九品，上报朝廷，朝廷按品级

东晋十六国形势图

任官。正是这种有利于门阀士族参政的制度，造成了政治贵族化和权力分散的大势。

庄园经济导致的割据性，弱化了朝廷对学术的干预，而"山岳崩溃"式的社会离析，更令人"悟兴废之无常"，哀"人生若尘露"，连一代枭雄曹操也发出"对酒当歌，人生几何"的苍凉悲鸣，这与乐观进取的秦汉文化精神全然另成格调。至此，新的意识形态已经初露端倪了。

优越的政治地位与雄厚的经济实力，影响到门阀大族的意识形态。他们没有了思想专制的迫压，没有积极仕进的压力，也不必处处仰仗当朝政治的鼻息，因此他们的文艺观和创造性趋向于自由发展和随心所欲。

这种多元化表现在魏晋文化的方方面面：魏晋之世，思想领域主流意识形态失落，儒家文化发生了裂变，传统的经学不再一枝独秀，放浪形骸的玄学异军突起。同时，儒家因为失去了强有力政权的一以贯之的提倡，给道、佛二教提供了滋生、发展的空间，它们在魏晋时期由幼弱逐步走向壮大。北方各少数民族纷纷骑着战马来到了中原，他们的马上文化和中原传统文化互相抵拒、互相吸收，使中华民族的文化呈现新状态的多彩多姿。

总之，此时历史的成分缺乏向心的综合，却向侧翼大幅度地进出，魏晋文化的一元破碎、多元成长见证了这段分裂并非中国历史里"失落的三个多世纪"。

儒家裂变

即使文化总以社会高层的营养品的形式出现，它也无法独立到社会秩序和物质生活之外，所以分析魏晋的"文治与教化"以及魏晋时期的思想多元，还有必要了解这种文化倾向背后的政治经济要因，同时要明确：尽管儒教、儒学、儒家存在着千差万别，但是它们的联系却千丝万缕。

从长远的历史定位上看，儒家文化不谋求玄深体系、不标榜清高出世、不排除别种文化，只是以一种自然的教化方式普及实实在在的良好秩序和理性精神，既包含着社会政治原则，又渗透着伦理道德规范，平静而有力地起到了安抚人心、稳定社会、维护文明的作用，它是一种似浅实深、似散实精的文化遗产，但是这种宽泛使儒家实际成为一种社会的纪律，在纷乱时代的用处往往很小。这在魏晋乱世同样如此，于是，魏晋文士乃寻觅另外的途径，或者修身养性，或者建功立业。

首先出现的是魏晋儒家的裂变。当然所谓裂变并不像原子弹连续分裂、释放巨大能量来得那么可怕，魏晋文士们更聪明一些，他们知道对儒学釜底抽薪。

经学作为训解或阐述儒家经典的独门学问在儒术独尊的两汉享有"国宪"的地位，尤其是两汉统治者在将经学研究与官禄结合起来的情形下，士人"靡然成风""咸资经术"，儒术成为做官的阶梯。然而，魏晋间经学受到了前所未有的冷落，"汉师拘虚迂阔之义，已为世人所厌""公卿士大夫罕通经业"，非独一般士子"穷经兴趣"大大低落，即便上层统治者也颇有不以为然者。魏帝曹髦巡视太学，居然以经学史上一系列自相矛盾的问题反复诘难经师，令经师瞠目结舌，这与汉代帝王亲临太学讲经恰成反照，生动体现了时代的价值转移趋向。在这种态势下，经学的没落也就不可避免。

与经学式微相联系的是名教危机。名教，即以正名定分为主要内容的礼教，是儒学体系中至关重要的内容。它以儒家哲理化的伦理学说为内涵，以承继西周宗法礼制的程式化礼仪规则为形式，具有教化与制约相统一的特征。两汉是名教定型时期，其标志便是"三纲五常"的提出。名教的伦理规范和礼仪程式全然围绕"君为臣纲，父为子纲，夫为妻纲"以及"仁义礼智信"展开。然而，魏晋南北朝间社会动荡的风暴使纲常名教受到空前的冲击。与儒学失落同步，名教在魏晋南北朝时期陷入深刻的危机之中。

名教危机的第一标志在于名教的道德哲学受到全面挑战。"君臣父子，名教之本"，而恰在君臣、父子伦常问题上，名教受到严重挑战。

在这个问题上有太多的例子可以证明，曹操为丞相时曾采用有名的"魏武三诏令"求才，直言不讳地称有才的不必有德，只要有治国用兵之术，即便不仁不孝仍可拔用，这是对两汉儒家重伦理纲常的反动。他还曾公开说道："若天命在吾，吾其为周文王矣。"魏晋名士、"竹林七贤"之一的阮籍所著《大人先生传》说："君立而虐兴，臣设而贼生。坐制礼法，束缚下民。"依据阮籍的理论，无君无臣，天下太平，而一旦君臣设立，天下万弊丛生，这无疑是对名教君臣理论的沉重打击。东晋鲍敬言对此的抨击更为激烈，以为"古者无君，胜于今世"，力主取消国君，建立"无君无臣"的乌托邦社会。由阮籍、鲍敬言所伸张的非君论构成中国政治文化中与专制主义理论针锋相对的反文化思潮，它不仅惊世骇俗地引发当时士人更为深刻反省现实的不合理，而且将其移波流泽，亘于后世。

名教之本的父子理论"父为子纲"也遭到魏晋人非议。孔融曾与祢衡交谈："父之于子，当有何亲？论其本意，实为情欲发耳。子之于母，亦复奚为？譬如寄物瓶中，出则离矣。"这类言论在礼教盛行的汉代是不可想象的，更何况是出自孔子后裔之口。

阮籍目光颇为犀利，他特别注意到名教道德哲学全然以儒家经典为依据，故对六经礼律的批评毫不留情。他说："六经以抑引为主，人性以从欲为欢。抑引则违其愿，从欲则得自然，然则自然自得，不由抑引之六经，全性之本，不须犯情之礼律。"

阮籍的"自然"哲学反映了当时士人的行为方式，《世说新语》记载了其时名士"皆以任放为达"，追求感官刺激甚至散发裸身以饮。"竹林七贤"中的人物也留下了许许多多张扬个性、漫越礼法的精彩故事。时风所趋，儒学陷入前所未有的困境，这是当时礼法废弛的原因和结果。

假如说儒家礼教对妇女桎梏最严、压抑最深，那么，魏晋南北朝相当程度的精神解放便是这一时期名教危机至关重要的内容。当时的妇女一反"妇德"，游山玩水，饮酒谈玄。常见到的是山阴公主的一个例子：山阴公主，淫恣过度，谓帝曰："我与陛下，虽男女有殊，俱托体先帝。陛下后宫数百，我唯驸马一人，事不均平，一何至此？"帝乃为立面首左右三十余人。《世说新语·排调》中记，王浑当着妻子的面夸奖儿子，没想到得到的回答是：我若跟小叔子婚配，生的儿子肯定比你的儿子还好。其无视名教礼法，可见一斑，更不用说该书中"任诞"一类人物的言行了。

经学式微、名教危机，标志着儒学陷入困境，所谓"儒者之风益衰""为儒者盖寡"，所谓"百余年间，儒教尽矣"，皆描绘出儒学式微的情景。儒学的式微，是坏事，也是好事。坏当然是就儒学自身的发展而言，而好则是指其式微有利于其他思想文化的发展。于是，随着儒学信仰危机的深化，儒学与道、佛融合，以及矻矻的文人们对人生意义的探求，把魏晋思想引向玄学。

"玄学"之名来源于《老子》"玄之又玄，众妙之门"，又以《老子》《庄子》《周易》这三部典籍作为依据文字，有着颇浓的道家思想氛围。但就其学术精神，特别是就其思辨的理性化和条理化而言，却又表现出受董仲舒以来儒学理论架构的影响。同时，其消极无为的思想，本来就与佛学的悲观厌世存在着很大程度的契合与相通，加上佛教在中国化的过程中，大量借鉴道家思想阐释佛教，于是佛教也很快融入到玄学之中。

"有晋中兴，玄风独振"，魏晋玄学是儒、释、道三家思想第一次碰撞的产物，某种程度上已呈现出圆融三教的迹象。作为一种时代文化思想，熔儒、释、道于一炉的玄学，其主体风貌与两汉经学大不相同，其文化指归也迥异。两汉经学着眼于王道秩序的建构，而玄学则可以说是其反动，表现出"解构"的特性；两汉经学，特别是以董仲舒为代表的"天人感应"论尚未脱离原始文化宇宙生成论的胎记，而玄学自诞生之日起即表现出思辨的、理性的、某种程度上可以称之为"纯"哲学的倾向，在深邃思辨之后，玄学家们对宇宙的认识已提升到本体论的高度。这说明，玄学虽是以仙气十足的道教、因果报应的佛教以及神学化的儒学为基础建立起来的，却已部分地剔除了其迷信的糟粕，表现出理性的文化个性。它在空前的广度和深度上、在现实生活中实践庄子学说中的人格理想，将那种轻人事、鄙事功、任自然的价值观植入中国知识分子的心中，铸造出摆脱儒学伦理特性的审美的文化心理结构。当时及后人都呼之为"学"而不称之为教，就不能不说是它超越三教之处。

魏晋玄学的兴起，与具有分散、自成一统的门阀士族庄园经济有着紧密的联系。士人重视个体，而非国家代表的总体利益。此种思想趋向推动当时士子热衷于注重个体人格独立的老庄学说，并在综合儒道的基础上加以阐发。应该说，魏晋初的士子还是执著于儒学"立功、立德、立言"的"三不朽"的价值理论的，然而建功立业的理想终究无法战胜人生的无常，儒学的道德规范和人生准则在魏晋政治斗争的洪流中显得苍白可笑，于是文人士大夫纷纷皈依老庄，玄虚之学成为自我解脱的紧要途径，玄学在魏晋兴起也就成为必然。也正因如此，魏晋玄学在当时文士的著作和作品中表现出思辨性、独特的审美性、偏重山水玄趣和对理想人格的追求。

尽管儒学裂变，但却没有中断其发展。孔子的地位及其学说经过玄、佛、道的猛烈冲击，脱去了由于两汉造神运动所添加的神秘成分和神学外衣，开始表现出更加旺盛的生命力。就魏晋南北朝的学术思潮和玄学思潮来说，都在一定程度上反映了当时一部分知识分子改革、发展和补充儒学的愿望。他们不满意把儒学凝固化、教条化和神学化，故提出有无、体用、本末等哲学概念来论证儒家名教的合理性；他们虽然倡导玄学，实际上却在玄谈中不断渗透儒家精神，推崇孔子高于老庄、名教符合自然；此时期虽然出现儒佛之争，但由于儒学与政权结合，使儒学始终处于正统地位，佛、道二教不得不向儒家的宗法伦理作认同，逐渐形成以儒学为核心的三教合流的趋势。

总之，玄学的发展使魏晋六朝成为"中国周秦诸子以后第二度的哲学时代"，其思辨成就也为隋唐佛学和宋明理学所继承。

仙道凸显

魏晋儒学的式微给道教的发展创造了良好的环境。魏晋南北朝时期的"忧生之嗟"，不仅是玄风蔚然的社会心理基础，而且成为宗教赖以滋生的气候和土壤，东汉开始酝酿的道教此时全面展开，蔚为一大宗教派别。

从东汉道教的诞生到魏晋南北朝，属于道教的创建和改造时期。这个时期的主要特点是，民间的比较原始的早期道教逐渐分化，并向上层化的方向发展，使得与当时农民起义相结合的民间早期道教逐步被改造，并转化为维护封建统治阶级利益的上层化的士族贵族道教。

魏晋时期的道教教派除了五斗米道和太平道，还有葛洪创立的金丹道，主张长生成仙的唯一秘诀是炼服金丹；

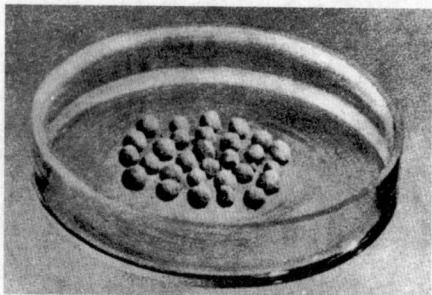

道教丹丸

创立于晋代的灵宝派，奉元始天尊为教主，以《灵宝经》为首经。此外还有众多的杂道派，如依托帛和的"帛家道"、李阿的"李家道"、孙恩的"紫道"等。

南北朝时，北魏太平真君年间（440～451），嵩山道士寇谦之在崇信道教的太武帝的支持下，自称奉太上老君意旨，"宣吾新科，清整道教，除去三张（指张陵、张衡、张鲁）伪法，租米钱税及男女合气之术"，制订乐章诵诫新法，"专以礼度为首，而加之以服食闭练""佐国扶命"，辅侣北方太平真君，代张陵为天师，是为北天师道。在南朝宋明帝时，则有庐山道士陆修静，"祖述三张，弘衍二葛（葛玄、葛洪）"，搜罗经诀，尽有上清、灵宝、三皇等派经典，遂"总括三洞"，汇归一流，又依据封建宗法思想和制度，并仿效佛教修持仪式，广制斋醮仪范，以改革五斗米道，"意在王者遵奉"，称为南天师道。与此同时，道教逐步形成一套完整的宗教仪式和斋醮仪式，道德教义、经书典籍、修炼方术也日趋完备。道教徒也业已在固定的宫观修行，形成按教阶组织起来的道士集团。梁朝的陶弘景继续吸收儒、释两家思想，充实道教内容，构造道教神仙谱系，叙述道教传授历史，主张三教合流，对以后道教的发展影响至大。经过他们三人的整顿和改造，道教作为一个完整意义上的宗教流派至此基本定型。

作为宗教的一大流派，道教具有宗教的一般性特征。它所信仰和崇拜的神仙无非是外部力量在人们头脑中的虚幻的反映，然而，道教毕竟生长于中华文化土壤，具有同其他宗教不同的本土性特征，而正是这种不同于其他宗教的本土性特征，使道教具有独特的文化功能。在理想追求层面上，它以"长生不老"的追求满足了人们惧死乐生的心理愿望，它所营造的"神仙乐园"满足了人们对社会和谐安乐的追求愿望；在社会涵盖面上，道教不同于玄学的上层性，也不同于一些只在下层民众中流行的民间杂散教派，而是具有一种广泛的适应性。北周时道安《二教

南朝辟邪

论》说道教"一者老子无为，二者神仙饵服，三者符箓禁厌"，是一个包括了宗教化的道家学说、神仙说和修仙方术以及民间疗病去灾的鬼道在内的多层次的宗教体系。在教团组织上，道教分为上层神仙道教和下层符水道教两大层次：神仙道教以长生修仙为本，主要在皇帝、士大夫中间活动；符水道教以治病祛祸为务，适应了下层人民的需要。多层次的宗教内涵以及组织、传播方式使道教适应了不同阶层的喜好、需要及文化水平，而广泛的适应性又反过来强化了道教的内在生命力。

多方面的文化功能使道教在长远的时空中植根于中国社会，强韧地存在与发展着。中国文化中自有一支道教文化，民俗、民风、文学、科技、建筑甚至政治斗争都不可避免地染上了道教文化的风采。

佛光普照

魏晋时，佛教与中国文化的冲突，主要凝聚于伦理纲常和夷夏之辩两大焦点。

伦理纲常是中国传统文化的内核，其中"孝"至为关键。"孝"的根本原则是"善事父母"，因此，子女必须珍惜自己的皮肤，"身体发肤受之父母，不敢毁伤，孝之始也"，并且"不孝有三，无后为大"。但是，佛教徒出家要剃头发、不婚配，要将自己的身心性命皈依佛、法、僧

五百强盗成佛图

三宝，这都有违于儒家的伦理纲常，自然要受到儒家的非议。根据儒家观念，"孝"与"忠"统一不可分割，"忠"是"孝"的放大。《孝经》言"以孝事君则忠"，《战国策》说"父之孝子，君之忠臣也"，然而，佛教却有"不敬王者"的传统，认为出家者为"方外之宾"，与现实社会不再有联系。既然身处方外，"迹绝于物"，自然也要"变俗"，不再受世俗礼法道德的限制，所谓"礼敬王者"的礼制遂不应加于佛门之上，跪起之礼也不应强加佛门。"无君无父"的观念，不只下层人民难以接受，连上层统治者也难以容忍了。

佛教不仅因其违背伦理纲常与中国传统文化发生激烈冲突，而且因其文化的外来性，遭到中国传统的夷夏观念的强有力的抵拒。"华夏"与"四夷"有别的观念早在夏、商、周三代就开始形成，到了春秋时代，"夷夏之防"的民族意识随着周王室的衰落、四夷落后民族的纷纷涌入中原而强化，在"南夷与北狄交，中国不绝若线"的严峻形势

北魏金佛像

下，中原农耕文明的强烈的"华夏意识"、华夷"内外有别"的观念本能地爆发出来，即所谓"内其国而外诸夏，内诸夏而外夷狄"。因而，春秋时代的"尊王攘夷"之举作为"春秋大义"历来被儒家所称道，并作为一种文化传统得到继承和发扬。在魏晋时期，荀济、北魏太武帝、何承天以及顾欢都从民族性的角度排斥过佛教。

佛教不仅受到传统伦理观念的抵制、夷夏观念的排斥，而且还受到中国本土无神论思想的挑战，范缜的《神灭论》更是从哲学上给佛教以沉重的打击。

为了在汉地生存、传播开来，佛教文化表现出惊人的调适性，即积极依附、融合本土文化思潮，改变自身面貌，以适应中华文化的生态环境。

佛教传入中国之时，宫廷里和社会上正流行着黄老之学和各种宗教迷信、神仙方术。由于黄老之学主旨为清虚无

魏晋新疆佛像

为，与佛教表面上相同，佛教就在道术那里找到了相通之处，让道术充当了它的保护伞。据记载，当时的人们把佛教看做黄老之学、神仙方术的一种，释迦牟尼佛也和黄帝、老子一起被奉为大神，而佛教的斋忏仪式由于类似于汉人的祠堂祭祖活动，因此也逐渐为汉朝皇室所接受。另一方面，佛教为了宣传的需要，也往往迎合神仙方术之士，兼采占验、治病、预卜吉凶等手法。佛教在传入中国之后，相当长的时间都是依附于当时流行的道术而存在，并作为道术的一种而传播的。此外，佛教还积极针对当时的玄学、儒学进行改造和文化整合，并且在政治理论上竭力迎合儒家伦理道德观念，使之符合广大人民和统治者的意志。因而，佛教在魏晋南北朝时期得到了发展。

佛教在魏晋时期得以广泛流传，一方面是由于它为了在中国立足生根，表现出强烈的调适性，对义理、传播方式等做了改造，另一方面，也是由于其自身理论建构适应

鎏金铜佛像

了当时的需要。

魏晋南北朝的动乱不已，使人们普遍感到"人命若朝霜""人生若尘露"，强烈的生命忧患意识压迫着人们，玄学为相当一部分士人开拓出超越有限、进入无限的玄妙之境；道教使人们在对"神仙乐园"的向往和"长生不死"的信念中得到精神满足；从印度东来的佛教则又为人们开辟出了精神解脱的新天地。

首先，佛教为人们创造了各种大慈大悲、济世救民、威力无边的"救世主"，这便是观世音菩萨、弥勒佛、阿弥陀佛等菩萨和佛。《法华经·观世音菩萨普门品》宣扬"若有无量百千万亿众生诸苦恼，闻是观世音菩萨，一心称名，观世音菩萨即时观其音声，皆得解脱"，《正法华经·观世音普门品》也说："若有众生，遭亿百千万姟困厄、患难，苦毒无量，适闻光世观世音菩萨名者，辄得解脱，无有众恼。"这对于朝不保夕、身陷苦难中的民众不啻为绝处逢生。唐道宣在《释迦方志》卷下中说："自晋、宋、梁、陈、魏、燕、秦、赵，国分十六，时经四百，观音、地藏、弥勒、弥陀，称名念诵，获其将就者，不可胜计。"佛教传播之速可见一斑。

其次，佛教的"轮回说"主张人死是必然的，但神魂不灭，人死之后还有来生，来生的形象与命运由"善恶报应"的原则决定。与道教、玄学相比，可谓疗效独到。长生不死、得道成仙是道教对人们的最大诱惑，然而长生不死是不可能的，这是道教在实践面前的最大障碍。释道安从道教长生不死的悖论出发，非难道教"纵使延期，不能无死"；玄学以"道"的追求为人们提供了精神解脱的路径，但对于人的生死存在问题也提供不了什么完美的回答；而"轮回说"的说教承认人的肉身必灭，人的灵魂经过轮回还能"随复受形"，大大削减了人们对死亡的恐惧。同时它的"因果报应说"，既使人们以为今世的苦痛是前世的恶果，从而不得不认命，又蛊惑人们为来世的好运做善的努力，骚动情绪大为消除。"轮回说"关于生死问题的新解释，给人耳目一新的感觉。

佛教教义本身具有如此的诱惑力，另一方面，在魏晋乱世佛教能够给人以战胜恐惧、逃避困难的精神力量，填补人的精神空白，加上统治者也希望以此为精神武器来巩固地位，因而"王公大人，观生死报应之际，无不懔然自失也"，"通人"亦"多惑焉"，以至"竭财以趣僧，破产以趋佛"。上至贵族，下至民众，盛况空前。

佛教在魏晋南北朝间的广泛传播，有两种重要物化成果。其一是寺院的广为兴建，所谓"天下名山僧占多""南朝四百八十寺，多少楼台烟雨中"；其二是巨型石窟造像。在今甘肃、陕西、山西、河南、新疆、四川等地保存下来许多石窟和数以千计的佛像。最著名者为甘肃西部的敦煌莫高窟、山西大同的云岗石窟以及河南洛阳的龙门石窟。此外，还有甘肃炳灵寺石窟、麦积山石窟等。

佛教在中国的发展提出对佛经译文质量的较高要求，于是有中土僧侣的西行取经。著名者为后秦法显，他历时十三年，遍及南亚，取归佛经，译出《大般泥洹经》等五种，又记述旅行经历，成《佛国记》（亦称《法显传》）。在法显西行取经后两年，鸠摩罗什从中亚来华，译出佛经九十八部。他精通梵文和汉语，所译佛经既能符合原经旨意，保存"天然西域之语趣"，又与中国传统相应，文圆意通。

在中外僧人的共同努力下，佛经大量译出，注疏讲经之学也随之发展，在这一过程中，佛教逐渐中国化。东晋佛学大师释道安总结了汉代以来的禅法与二系学说，其弟子慧远一方面强调佛法是"不变之宗"，著《沙门不敬王者论》，维护佛教对政治的超越性，另一方面又调和佛学与儒学名教的矛盾，用佛学融合儒玄，这是印度佛教演变为中国佛教的一个开端；竺道生则倡言"一阐提皆得成佛"之说，认为"一阐提"（"断善根"的音译，意指恶人，难救药之人）也可以修炼成佛，并首创顿悟成佛说，这使得佛教赢得更大普及性，开出佛学中国化的理路；南朝梁武帝则以"菩萨皇帝"身份，提出"三教同源"说，把儒、道、佛三教始祖孔子、老子、释迦牟尼并称"三圣"，认为三教可以相互辉映。此后不久，一个中国化佛教宗派——天台宗在浙江天台山创立，这标志着中国佛学走上独立发展的道路。

佛教在魏晋南北朝的兴盛与统治者的大力提倡颇有干系。佞佛尤甚的是南朝帝王，如宋文帝、齐文宣王、梁武帝、陈武帝、陈后主等人。其中梁武帝曾广建佛寺，带头吃素，扶植寺院经济，一次布施寺院往往千万以上，他还四次舍身同泰寺为"寺奴"，每次都由百官用"钱一亿万"将他赎回。

有佞佛者必有灭佛者。一方面，儒士从护卫名教出发，著文斥佛教"使父子之亲隔，君臣之义乖，夫妇之和旷，友朋之信绝"。另一方面，有的帝王为了保证朝廷赋役，伸张中华王道正统，起而灭佛，如北魏太武帝诏令坑杀沙门、焚毁寺院、没收寺产。北魏后期诸帝重新佞佛，北周武帝遂再禁佛、道二教，又下诏灭佛，使"释子减三百万，皆复军民，归还编户"，增加了国家财赋兵役来源。北魏太武帝、北周武帝的灭佛与以后的唐武宗、后周世宗灭佛，合称"三武一宗灭佛"，佛教史上则称"法难"。而从中华文化的总体进程论，则是儒、释、道三教彼此消长及社会政治经济矛盾运动的产物。

胡汉融合

魏晋南北朝时期虽是政治乱世，在文化效应上却促成了文化融合。首要表现是在融合道教、佛教的基础上产生了区别于先秦及两汉经学的玄学，这一文化融合，发生在哲学层面上，是外来文化与本土文化冲突和融合的表现。儒、佛、道三家思想的融合导致了"三教调和"论的出现，并在南北朝时期得到越来越多的响应，使得三教中的精英人物彼此交往、琢磨切磋，在谋求教礼上相通的同时沟通三教、消弥隔阂，形成文化向心力。其次是民族文化的融合，即周边少数民族文化与汉文化间的交融。

经过夏、商、周至秦、汉约一千八百年的发展，一个以汉族为主体的多民族国家初步形成，魏晋南北朝近四百年间，则是继此之后又一次更大规模的民族迁移和民族融合高潮。北方及西北、东北的匈奴、鲜卑、乌桓、羯、氐、羌等少数民族由于气候的变冷而纷纷南侵，先后进入中原，建立政权，形成了中国历史上所谓的"五胡乱华"之势。这些少数民族，虽有着各不相同的文化特质，但游牧的社会结构和彼此的邻近，又使他们的文化特质表

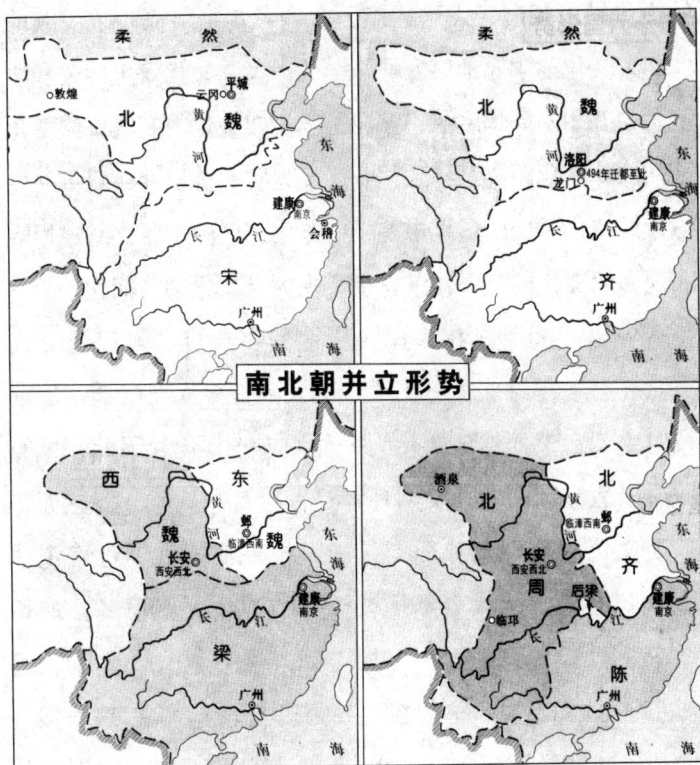

南北朝并立形势图

现出某种层面上的一致性，特别是与重传统的汉文化比较起来，其清新之气可谓扑鼻而来。南方及西南的越、蛮、奚、俚、僚等族也与汉族发生交互关系，游牧或半农半牧民族的"胡"文化与中原农耕人的"汉"文化长时间交会，并在冲突中走向融合。

所谓文化冲突，其实质是不同性质文化之间的矛盾性的外化。文化冲突有一大前提就是不同性质的文化在一特定的文化场内相遇，发生碰撞。在魏晋就是草原游牧民族的"胡"文化与中原地区农业社会的"汉"文化发生冲突和碰撞。"五胡"入华之后，草原游牧民族文化与农业民族文化之间的"文化距离"导致胡、汉文化质的差异性，双方在碰撞、调整、适应的过程中趋于一体化。这种一体化的过程既表现为胡文化的"汉化"，也表现为汉文化的"胡化"。

对于"胡"文化来说，当他们突破自己赖以生存的文化环境、越过农牧分界线，进入到直接面对汉文化的前线时，就自然而然地转化为一种低势能文化，因此，抛弃旧质以适应新的农业文明环境是首当其冲的急务。然而，在胡文化解体的态势面前，胡人中一部分人不可避免地产生守旧心态，竭力维护被摇撼的游牧文化根基，如拓跋焘杀贺狄干，是因为"见其言语衣服类中国，以为慕而习之，故忿焉，既而杀之"。入迁内地的胡人表现出强烈的"扬胡抑汉"倾向，《北史·高昂传》云："时鲜卑共轻中华。"以"汉"字构合成形形色色带侮辱性的恶称便是"轻中华"的表征之一。陆游《老学庵笔记》言"今人谓贱丈夫曰'汉子'，盖始于五胡乱华时。北齐魏恺自散骑常侍迁青州长史，固辞之。宣帝大怒曰：'何物汉子，与官不就'此其证也。""抑汉"与"扬胡"同时并存，胡人被尊奉为"国人"，在政治上、经济上享有多方面特权。

然而，在先进的汉文化的包围下，胡人中"守旧派"

晋代青磁羊形烛台

的抗拒终归是徒劳的，与游牧生活相隔离的中原胡人终究被纳入"汉化"的轨道。

胡文化的汉化，其表现是多方面的，制度文化的封建化、思想意识的儒学化、社会生活的农业化等，都是显例。就其途径而言，则可分为上层和下层两种。上层是指胡族统治者通过行政手段强制实行汉化政策。后赵的石勒、前秦的苻坚、后秦的姚苌等统治者都曾在这方面作过巨大的努力。他们通过征聘任用汉族士大夫、宣传儒学思想等方法达到汉化的目的。苻坚就是这样一位杰出的人物，他尝试融合各族，统一全国，尽管由于条件不成熟而失败，但功不可没。公元5世纪初统一北方的鲜卑拓跋氏，更在其民族儒化、汉化上有突出举动。还在魏道武帝时期，拓跋珪就通过征聘、使用汉族士大夫，与儒家政治勾通关系，至魏明元帝拓跋嗣到魏献文帝拓跋弘时期，拓跋族上层集团的儒化已达到一个新的水平。儒家文化的渗透，使北魏统治层中产生了许多儒者兼拓跋贵族的人物。

北魏孝文帝元宏是推进鲜卑拓跋族汉化的英俊人物，他在民族融合的条件日趋成熟时，坚决果断地实行汉化改革。他不顾群臣的反对由平城（今山西大同）迁都洛阳，规定南迁的鲜卑人不准返回平城，一律在洛阳入籍，死后也必须葬在洛阳，甚至将皇姓的拓跋也改为元，对最终从文化和心理素质方面消除民族隔阂起了重大作用。此后，北镇军人政权虽然掀起反汉化的潮流，但客观上造成更广阔、更深刻的汉化。

由于胡文化的汉化不是以本族经济文化发展为动力的文化迁演，而是在汉文化环境的规范下，以政治需要为动力的文化转型，因而，统治集团的儒化往往走在全族汉化的前面，从而为胡文化的整体性汉化创造前提条件。

胡文化"汉化"的下层途径，是指少数民族的百姓在随统治者南迁之后，与汉族百姓杂居，习用汉语，沐浴于汉文化之中，于潜移默化之中接受汉文化。与前一种相比，下层人民的汉化更体现出自觉性。胡人的两性观念本来颇为开放，"女儿自言好，故入郎君怀"，但在汉文化影响下，也出现男婚女嫁有待于"父母之命"的观念，如北朝乐府《折杨柳枝歌》咏道："问女何所思？问女何所忆？'阿婆许嫁女，今年无消息。'"说明儒家的贞操观念开始影响胡人。

在胡文化"汉化"过程中，儒生士大夫扮演了关键角色。十六国与北朝时代，大批北方汉族儒士纷纷出仕胡族政权，他们以《孟子·滕文公》中"用夏变夷"的思想为指导，建构与农业经济相适应的汉式统治结构，宣传儒学，提倡文教，努力改造胡风胡俗。

汉族儒士改造胡文化的主要途径是以胡族上层为中介，倡导儒学，建设汉式政权组织以及与农业社会相适应的经济制度；倡兴文教，打击保守贵族势力，努力改易"胡风国俗"。通过汉族儒士与儒化了的胡族上层统治者的共同努力，使北方胡族政权对儒学的重视较东晋南朝有过之而无不及。

各少数民族统治者认同华夏文化之后，往往自称是华夏后裔，反以"岛夷"（海岛上的野蛮人）称呼偏安江南的南朝政权，自觉自愿地接受汉族的政治经济制度和传统思想文化，并以政权的力量推动汉化的进程，进一步影响周边其他少数民族。就这样，形成汉文化发散式的向周边少数民族地区辐射之势，促进汉化和民族融合，形成以"汉"（实际上是以汉文化为主体包容着丰富少数民族文化的混合文化体）文化为内质的巨大文化向心力和凝聚力。正是这种文化上的统一与融合的趋势，成为政治上统一的催化剂，昭示出政治统一的必然趋势，为隋唐大一统时代的到来作好了思想文化上的准备。

二、魏晋风度——中国文化的清流

　　魏晋风度是一个颇具魅力的话题。"风度"，对于个人来说，是文化素养与精神状态在言谈和仪表上的反映；对一个阶层来说，则应当是一类人的世界观与人生观通过言论和行为塑造起来的社会形象。之所以一定要在前面加上"魏晋"这个限定，不单单是一个时段的预设，而是因为离开"魏晋"这个广大的时代背景，"风度"无论在合理性上，还是在可爱程度上，都风采难再。它是一种细致到最枝节的生活习惯上的游戏规则，同时包含形而上的玄思与清谈，也关联着最世俗的消费与交往。

　　当然，魏晋士人的行为也反映出他们无法克服的双重性：他们一方面表现出心神不安和浪漫精神，渴望无限，渴望永恒，另一方面又显现出非常坚定地安于现状；一方面能够真实地表露个人的内心世界，另一方面又要用放浪的行为矫情地掩饰自我存在；一方面能够超然物外、遗世独立，另一方面又囿于世俗，自闭尘网；一方面注重个体生活的独立性，另一方面又摆脱不掉个体生活的无效性。

魏晋文人这种充满矛盾的放浪形骸的生活方式和谈玄尚远的清谈风气的形成，既和当时道家崇尚自然的思想影响有关，也和当时战乱频仍、特别是门阀士族之间倾轧争夺的形势有关。知识分子一旦卷入门阀士族斗争的漩涡，往往就难以自拔。魏晋以迄南北朝，因卷入这种政治风波而招致杀身之祸的大名士就有何晏、嵇康、张华、潘岳、陆机、陆云、郭璞、谢灵运、鲍照等。所以，当时的知识分子有一种逃避现实的心态，远离政治、避实就虚、探究玄理乃至隐逸高蹈就是其表现。这种情况不但赋予魏晋文化以特有的色彩，而且给整个六朝的精神生活打上了深深的印记。

清谈、饮酒、寒食散

"药与酒之关系"曾经是鲁迅一篇关于汉末至晋末问题研究文章中出现的概括，也正是在这篇文章中，鲁迅使用了"魏晋风度"这个词语。酒与药确乎是魏晋之际特有的社会风气和文化趣尚形成的重要因素。

同时，为了实现"大隐于朝"的宏愿，名士们也开始盛行清谈，但是，要真正同政界脱离一切干系也并非易事。于是，名士们不得不用别的方式，来实现"大隐于朝"的宏愿。

拂尘图

清谈

　　清谈又称玄谈、玄言，是清雅的言谈或者讨论的泛称，又专指以老庄哲学为内容的玄谈。魏晋名士们在官场求生，意识到既然不能实践"沉默是金"的良言，那就述说一些无关痛痒的废话和模棱两可的"玄言"吧。于是，他们就把自汉朝以来的"清议"之风发扬光大，形成了魏晋时期士大夫阶层的独特风尚——玄谈。

　　汉代的"清议"，本是征辟察举人才时的基本内容，主要是对候选人的学识、道德和作风进行评论，但是，汉代不少清议之士招致了党锢之祸；魏晋之际，清议的形式被名士们借鉴过来，而让谈论的内容逐渐转换为脱离实务的玄理，后又经过何晏、王弼等人的倡导，把讨论的中心转换成"庄、老、周易，总谓三玄"，发展成为当时的主要思潮。

清谈可不是简单地闲聊天，更不是"下里巴人"的街头巷议，而是内容相当丰富的学术争论。实际上，清谈虽然涉足了高深莫测、神秘难辨的抽象玄虚之学，但它也是一门直接窥视人生本体意义极有情致的学问，是一种"论天人之际"、究有无之理的形而上思辨，一种探求真善美的理性活动。

玄学清谈主要采取了主客辩难的形式，讨论的话题都是随机的、即兴的，从而构成了对人内在智慧、思维水平、精神深度以及辩说能力的最严峻考验，是一种思维和智慧的竞赛。这种玄谈方式极大地激活了人的思辨潜能，锻炼了人的思维能力，唤起了一代名士追求真理、崇尚智慧的热情与风尚。

清谈家们为了显示自己的风流高雅，常常手执由麈尾做的拂尘以助谈锋。"麈"是一种大鹿，据说麈与群鹿同行，摇动尾巴以指挥鹿群的前进方向。手执麈尾的辩手说到激动的时候，挥动麈尾，慷慨陈词，颇有"指点江山，激扬文字"的气概。

激烈的辩论，往往形成一种剑拔弩张的紧张局面，《世说新语》中载孙盛与殷浩的一场辩论，双方情绪激昂，"奋掷麈尾、毛悉落饭中"，但是，正如同下棋时高手过招，只会更加引发交锋双方的相互敬意。清谈中纵然有激烈的争论也不过是一种"理赌"罢了，之后仍旧是挚友。

这种"争而不伤"的宽容是清谈家们共同遵循的游戏规则。正是这种对"理"的执著，使他们不去在乎个人在辩论上的得失。其实，名士们仅仅是把这种口舌的较量看做了一种"游戏"，他们从中体会到的是思辨之乐，从而把单纯的清谈提升为心调意畅的审美活动。这也正是嵇康在诗中描绘的"乘云驾六龙，飘飖戏玄圃"的意境。

饮酒

酒似乎一直是文人墨客须臾不能离身的东西，诗人用它来找寻灵感，将军可用它来鼓舞士气。建安时期，曹操一句"何以解忧，唯有杜康"，真实地体现出酒之于时人的意义。

饮酒确实可以排遣烦闷，况且酒精比寒食散的毒性小得多，因此借酒消愁成为士人们逃避现实的另外一种手段。著名的"竹林七贤"，大多喜欢酗酒，其中阮籍、嵇康以及刘伶等更是嗜酒如命。刘伶甚至还写了一篇《酒德颂》，把自己对酒的嗜好提升到了理论的高度。

酒之于魏晋名士的重要，深受当时社会风尚的影响。在饮酒派看来，与其以极大的耐心去等待并无太大把握，甚至虚无缥缈的仙境，还不如在眼前的瞬间去寻找永恒。这应该就是及时行乐学说能够大行其道的原因了，也是酒的地位得以凸现的土壤。

《世说新语》载："张季鹰纵任不拘，时人号为'江东步兵'。或谓之曰：'卿乃可纵适一时，独不为身后名邪？'答曰：'使我有身后名，不如即时一杯酒！'"这位旷达之士的立场可谓魏晋名士的典范。

醉是他们追求的境界，喝醉后，即便做出一些不穿衣服、不戴帽子的怪异举动，也似乎是可以谅解的，而他们则正可以借助别人对醉酒之人的宽容放松自己的性情、缓解过于强烈的精神压力。于是，醉变成他们惯用的一种政治手腕。《晋书》载，阮籍经常酗酒就是为了避开政治风险，因为他深知"魏晋之际，天下多故，名士少有全者"的险恶。他确实如愿了，阮籍的政敌钟会曾试图与阮籍讨论时局，以便从他的话中找到破绽，但是，每次碰到阮籍都见他酩酊大醉，只好作罢。而阮籍为了拒绝将女儿嫁给司马昭之子，竟然大醉六十日，一直昏昏欲睡，弄得司马昭毫无办法。

诚然，作为一群精神贵族，魏晋文人不会仅仅满足于纯粹感观上的享受，醉酒之于他们而言，还具有哲学意义上的审美情趣。体验人与自然的合一，获得对幸福的真实意想，这时酒文化，被魏晋名士赋予了形而上的意义。

魏晋的名士们总是衷心地希望自己能够与宇宙对话，与宇宙同在，进入一种身与物化、物我两冥的境界，酒正是促成这种夙愿的媒介。正如名士王蕴所言："酒，正使人人自远"，把人带入一种高远的境界，这也正是刘伶在

《酒德颂》中所要极力表明的态度。他借用虚构出来的一位大人先生的形象抒发了自己对游仙境界的追求，在极高的层次上揭示出魏晋文人嗜酒的内在原因。

寒食散

服药是魏晋士人们一种重要的逃避现实的手段。

寒食散又名五石散，主要配料是紫石英、白石英、赤石英、钟乳石、硫磺等矿物质，服用这种药物后，人会浑身发热，十分难受，需要散发热气，应吃冷食，故得此名。据说，带头服药的就是正始名士，其中又以何晏为首，王弼与夏侯玄更是热衷此道。寒食散不是什么滋补的保健品，是纯粹的毒药。如果服食者散发得当，体内疾病或许会随毒热一起发出，如果散发不当，则会五毒攻心，后果不堪设想。

但是，士大夫们竞相冒性命的危险，纷纷效仿，究竟是何样的心态呢？原来寒食散药性发作的时候，人的精神会进入莫名的恍惚状态，心境暂时得以超脱凡世的纷争，进入飘摇的理想世界。这时候，真性情的流露或者对黑暗现实的口发狂言，在癫狂的幌子下，也不至于引起太大的麻烦了。

当服药逐渐为更多的人效法的时候，它就成为了一种时尚，反而缺少了士人最初借以消磨苦闷的单纯用意。由于寒食散的配料多为贵重的药材，而且吃药后要多喝上等酒、多吃好饭菜，处处需要人照顾，非一般经济实力者能够经常服用，于是，服药居然成为一种显露经济地位的标准，成为一种畸形的社会风气了；在魏晋时代的街头常常看见摇头晃脑的路人，其实大多不过是诈称自己"石发"的虚荣之人。甚至在《太平广记》中也提到这样一个笑话，说一个穷酸书生躺在闹市辗转反侧，大呼自己在"石发"，原来却是"昨在市得米，米中有石，食之，乃今发"，引得众人大笑；更有甚者，居然相信服用寒食散能够美化容貌、取悦女人，这或许同魏晋时代品评人物时特别注重仪容之美的风气有关。服用寒食散确实能够让人在短时间内面色红润、神明开朗，于是迷惑了不少人的眼睛。

既然寒食散存在着毒性，就一定会爆发出来。纵然严格恪守"散发"的规则，也不时传来因为服药而倒毙的案例。《晋书》载，身为司空的裴秀"服寒食散，当饮热酒而饮冷酒"，结果病发而亡，年仅四十八岁。

任诞行状

虽然酒和迷药在当时盛行，但毕竟不是魏晋人的独创，真正体现"魏晋风度"、真正属于魏晋名士、让魏晋名士不同于其他朝代文人的作风，非"任诞"莫属。

"任诞"，从字面来理解不过是任性与放诞。《世说新语》专辟《任诞》一节，可见其是当时很盛行的文人做派。或许，在魏晋之际那个如此崩坏的时代，"任诞"正是矫枉过正的必然。传统的行为方式被破除了，于是"背叛礼教""违时绝俗"，难免要用狂傲放荡的叛逆形象来表明自己的姿态。一切外在的律令、礼法、时俗、成规都成为名士们嘲笑的对象；一切虚伪的伦理、道德、纲常、名教都为他们所解构，而这一切仅仅就是为了让精神享受更多的自由。

狂放

魏晋的"狂人"或许要比鲁迅先生《狂人日记》中的主人公狂得更厉害，后者不过是看透了社会本质后的情绪化波动，而前者似乎还要用自己狂放的行为去破除这个不兼容于自己的时代。

酒在这个时候更是不可或缺了。刘伶每每醉酒就会脱光衣服在屋子里旁若无人地走动，别人讥笑他，反而被他驳回：我把天地作为房屋，房屋作为衣服，你们为什么要钻进我的裤裆里呢？这种狂妄的厥词几乎是对别人人格的冒犯了。

需要借助酒精的麻醉，这种狂放的坦率性质或许要打一些折扣，但是，如果把"狂人"们的行为方式理解为他们力图毁坏虚伪道德和抑制人性礼律的手段的话，就足够理解如此行事所需要的勇气了。实际上，酒确是一个好东西，它浇灭了名士"胸中垒块"，也给了黑暗与崩坏的现实"迂回"的一击。

更加彻底的狂人同样也是存在的。东晋时人王忱经常裸体出游，有一次，他岳父的一个亲人去世了，王忱与一干朋友前去吊丧，在岳父悲痛欲绝之时，他们却散发裸体绕着岳父走了三圈而去，只留下已经忘了流泪、还在目瞪口呆的岳父。

怪异

在一个正常的礼俗社会，人的行为因为受到一定的限制而不太可能做出过格的举动，然而从东汉后期开始，社会风气逐渐转向一种鼓励怪异举动的轨道，魏晋士人更是将这种风尚发扬光大，而这正出于他们揶揄礼教和张扬个性的努力。

魏晋名流的怪异举动之一就是学驴叫。暂且不从审美

山水玄趣

的高度去评说这种爱好的高下，因为令人难以想像的是，学驴叫已经在魏晋人的生活中成为重要的一部分了。《世说新语》中讲到这样一个故事：时人孙楚特别敬仰王济，在王济的丧礼上，孙失声痛哭，对着灵床说，"卿生前喜欢听我学驴叫，今天我就再为卿学一个吧！"随即就在灵堂里惟妙惟肖地叫起来。对于孙的这种怪异举动，宾客都忍俊不禁，而孙却严肃地说，"正是由于你们的存在，才使这个人死去！"时人赋予学驴叫的沉甸甸的内容，可见一斑了。

突出自我，张扬个性，一切以个人的性情、需要、意念、心境为准则，让魏晋风度所包容的怪异成为必然。士人们在行为举止上在乎的并不是别人的眼光，而是自己是否能感到快乐。

正因为他们关注的是自己的感受，所以所谓"怪异"不过是局外人的评价，而当事人并不会有丝毫的尴尬之感，如虽然"裸行"被不少人斥为"露丑恶，同禽兽"，但是仍然有不少人趋之若鹜，《晋书》中就载录了"八达"的奇闻轶事。所谓"八达"就是胡母辅之、谢鲲、阮放、毕卓、羊曼、桓彝、阮孚以及光逸这一群放达之士。他们经常散发裸体，开怀畅饮，不醉不休。有一次，他们相约在胡母辅之家中聚会饮酒，光逸迟到了，守门人不准他进屋，光逸于是就在门外脱光了衣裳，从狗洞中向屋里窥视，并大喊大叫。胡母辅之大惊道："一定是光逸兄来了，别人不会有此举动。"于是放光逸进屋，一同不分昼夜地痛饮起来。

率真

离经叛道固然是魏晋名士无法脱去的惯性，但他们也常常会有率真之举，不免使人感动，体会到人性的可爱。

《世说新语》中记载了一个感人的故事：荀奉倩的妻子冬天得了热病，他便跑到院子里，将自己的身子冻得冰凉，然后跑回去用冷身子给妻子降温。妻子死后，他不久也告别了人世。率真、幼稚的举止因为深厚的夫妻之情反而赢得了同情和感动。其实，荀奉倩此举也是不难理解的，崇尚"自然"的人们，当然会更加强调内在的真本质、真性情的流露。

率真，就是摈弃了虚伪的真诚。明末哲人李贽提出"童心"说，似乎是对率真最形象的解释。既追求自然率直之美，就要抛弃虚伪谦让之矫情。在这方面，王述给人的印象最为深刻。当他被擢升为尚书令后，任命书一下，他就立刻去就职。别人劝他说，按照常理应该谦让一下。王反问道："难道你认为我不胜任吗？"别人回答说："当然胜任，但是，谦让是美德。"王述愤然指责说："既然称职，为什么又要假惺惺地谦让呢？"

强调真性情的流露，就不得不忍受各种情感带来的痛苦。于是，痛哭、长叹、愤怒、喜悦这些情感的宣泄就是最直接的方式了。儒者曾强调对人世间的情感要努力修炼到"哀而不伤"的境界，用镜子打比方，就是，外部世界的各种问题投射到心中，应该像镜子那样反射回去，就不会伤及内心了。但是，真性情的流露不会考虑这些细微末节的问题，必要的愤怒、喜悦和痛苦就应该畅快淋漓地排遣出来。

竹林七贤——魏晋风度的代表个案

人从来就是政治斗争的附属品。在一场场政治杀戮、一场场排除异己的战斗中，血流成河的描绘并非是故意的耸人听闻，此情此景，可供人们选择的只剩下两条道路，要么合作，成为政治刽子手的帮凶；要么拒绝，保存一息文人的气节。

"竹林七贤"就是这样一群在政治斗争的夹缝中苟且偷生的文人。司马集团与曹魏集团争权夺利的血雨腥风，实际上把这一群手无缚鸡之力的柔弱书生推向了两难的境

"竹林七贤"砖刻画

地，如果真正横下心来，甘愿成为御用文人也就算了，他们却总也放不下知识分子的清高，总有一条道德的尺度存留心间，折磨着他们，拷问着灵魂。

背负着心灵的十字架，他们走入竹林这个不能再平凡的景观之中，幻想在山野的葱翠之中、在酒壶的方寸之间，找寻自己的理想国度，于是成就了一个政治史的奇迹，产生了一段心灵史的佳话。

阮籍、嵇康、山涛、向秀、王戎、刘伶和阮咸七人，常常结伴在山阳（今河南修武县）"作竹林之游"，由此他们被称为"竹林七贤"。"竹林七贤"继承了前代"正始名士"和"建安七子"的精神风貌，用自己的乖戾行为阐释着魏晋风度的真实内涵。

七子给人一种飘飘然仙风道骨的气质，他们性嗜酒，能长啸，善抚琴，好赋诗。放浪形骸，遨游山水之间；手执麈尾，恍恍忽神仙飘然而至。竹林七贤都是老庄之学的忠实信徒，崇尚自然以及养生之道。

把"七贤"作为一个整体相称，只是一种便利。其实，在矛盾和残酷的现实面前，竹林名士每一个人的内心都感到强烈的恐惧与无助，迫使他们在性命和道义之间做出选择，于是不可避免地要出现分歧。

嵇康作为同曹魏家族有姻亲关系的名士，他选择成为司马集团的对立面。谈到嵇康，便无法回避他那著名的《与山巨源绝交书》。可以说，嵇康之所以成千古之名、之所以遭遇杀身之祸，皆与此书有关。无论如何，这封短短的书信成为嵇康人生的里程碑，亦成为文人史上的里程碑了。

山巨源即山涛，同为"七贤"之一，与嵇康本是交情颇深的好友。山涛曾任选曹郎的职位，擢升为散骑常侍后，出于好意，他举荐嵇康接替自己原来的职务，但山涛的好意成为一厢情愿的想法。与邪恶势力水火不容的嵇康感觉好友的这次恩惠是对自己的一次莫大侮辱，于是愤而作"绝交书"，意在表明自己鲜明的立场。嵇康的所为不过是要借此事宣泄自己积年累月的愤懑，表明自己坚决不与司马氏集团合作的心迹。从绝交书中反映出的嵇康的苦闷一方面可以看出他"荣进之心日颓，任实之情转笃"的牢骚，另一方面也可以看出他"必不堪者七，甚不可者二"的嘲讽。这恰恰是他在政治腐败和玄风熏染下内心极端悲苦的真实写照，于是他通过放弃友谊而坚定了自己的信念。

于是，绝交书也成为对司马氏集团的宣战书，并最终把嵇康送上了刑场。虽然嵇康被判处死刑的消息传开，引来洛阳三千群情激愤的太学生为他的冤情奔走呼号，却无论如何也改变不了司马集团杀一儆百的决心。

刑场之上，嵇康心中并无大喜大悲的激动，他不过从容弹奏了一曲《广陵散》，让它化做天鹅之歌。他把自己全部的生命都寄托在这声调绝伦、回荡天际的旋律之中，然后从容就戮，年仅四十，绝世名曲也随风而逝。

值得一提的是，嵇康临刑前曾对儿子嵇绍说："巨源在，儿不孤。"可见，虽然嵇康抛出了绝交书，心中依然念着山涛，而山涛也并不介意嵇康对友谊的"背叛"，在嵇康被处死后，山涛对嵇绍悉心照顾，如同己出。这是真正的知己才能够彼此体会出来的情意。

阮籍是同嵇康同道而齐名的贤人。由于家学熏陶，阮籍从小便有济世之志，"被褐怀珠玉，颜闵相与期"，奉"修身齐家治国平天下"为立身行事准则。不过，阮籍同嵇康的"刚肠疾恶"相反，他"口不论人过"，这是阮籍在黑暗的政治斗争中避祸的秘密所在。"口不臧否人物"，司马氏才会容忍他，他才得以在乱世中全生。但是"至慎"的代价就是内心压抑，积年累月就形成了胸中的块垒，需要酒的浇灌才能化解。然而，饮酒获醉只能拥有短暂的平和，扭曲的灵魂无法得到永恒的安抚，特别是在自己的好友嵇康被杀害之后，阮籍更是终日耿耿于怀，郁郁寡欢，次年就病死了。

做出像嵇康那样置生死于度外的选择很需要勇气，并不是所有人都具有这样的勇气，于是，有一些人虽然在感情上不能接受政治斗争的黑暗，但是在现实面前又无力抗争，痛苦矛盾的心情无法排遣，于是沉醉酒乡，苟全性命，这就是刘伶和阮咸的选择。

刘伶身长六尺，容貌丑陋，然而行为奇特，"肆意放荡，悠焉独畅"。他广为流传的以酒为命的传奇故事让古来无数嗜酒者也黯然失色。刘伶常常乘着鹿车漫无目的地行走在荒野上，车中无他物，唯有一大壶酒，车后会有仆人肩扛铁锹跟随，因为刘伶吩咐过："我走到哪里，醉到哪里，死了就把我挖个坑埋了罢。"酒果然成为他生活的全部内容了，正如王恭所说："名士不必须奇才，但使得无事，痛饮酒，熟读《离骚》，便可称名士"，确实说到要害了。

阮咸的狂放，同刘伶相比，有过之而无不及。作为儒家名教的叛逆者，他放荡不羁的程度有时连自己的叔叔阮籍也认为过分。据说阮咸饮酒，一般不用杯觞斟酌，而以大盆盛酒。一次，一群猪闻到酒香也来喝阮咸盆中的美酒，他不但没有将猪赶走，反而与其共饮。阮咸还以"妙解音律，善弹琵琶"而闻名当时，阮咸对于音乐的把握使他能够将老庄思想引入音乐当中，借以表达他对宇宙人生的态度和对自然无为境界的追求。

山涛、王戎则做出了另外的选择，在政治高压下，力求通达显贵，最终投靠了司马氏阵营，虚食俸禄，追逐名利。尤其是王戎，他位极人臣，却"积实聚钱，不知纪极，每自执牙筹，昼夜算计，恒若不足。而又俭啬，不自奉养，天下人谓之膏肓之疾"，但他们仍不失其风度。

山涛由于深谙处事之道，所以能够在政治上平步青云，然而，虽然他后来摄居要职，却仍然过着贫士般的生活。时人评价他"通简有德""雅素恢达，度量弘远"，确实是质朴而又有雅量的名士。

而王戎虽投靠司马氏，成为当朝的命官，却仍有不拘礼制的举动。王戎性至孝，母亲去世，他虽"容貌毁悴"，但仍然不废饮酒食肉。多年之后，"七贤"已然分道扬镳，王戎十分怀念竹林之游的自由。一次，他故地重游，触景生情，顿生无限感慨；伤逝之感，沧桑之叹，溢于言表。可见在内心深处，王戎还是渴望自由自在的生活。

向秀达观恬静，最甘淡泊，沉心学术。他一直在尝试进行儒道调和，于是开创了"名教即自然"的理论先声，成为玄学发展的一个关键人物。而且他审时度势，不任性极端，如在悼念好友嵇康的《思旧赋》中，虽充斥着感怀思旧的情怀，但由于恐惧司马氏集团的屠刀，只写了一百多字，几乎

西晋青磁香熏

是刚开头就又煞了尾。这真是中国知识分子最精练的一曲悲歌了。

然而，不论"竹林七贤"在个体行为上有什么样的差异，也不会降低他们作为魏晋风度的表率作用。他们在后来出现的分化说明旨趣有所不同，正如一片竹林中找不出完全相同的竹子一样，但是，他们无疑是那个时代知识界的杰出代表。

三、文学——痛苦的生命体验

一个时代的艰险与苦难，往往能够成就文学创作的累累硕果。逝去的秦汉帝国、大一统的辉煌与强盛，仅仅成为飘荡在人们心间的无尽哀思。这曾经艳丽的昨日黄花对于文学创作本身似乎并不是一件特别有利的事情，正如钟嵘对两汉诗歌的评价那样："自王（褒）、扬（雄）、枚（乘）、司（司马相如）之徒辞赋竞爽而咏靡闻。从李都尉（李陵）迄班婕妤，将百年间，有妇人焉，一人而已。诗人之风，顿已缺丧。东京二百载中，唯有班固《咏史》，质木无文。"或许正是自汉武帝独尊儒术、严重束缚了人们的思想自由开始，文学创作也走上了气息奄奄之途。

沉闷的死水，伴随着东汉帝国的坍塌而破碎，魏晋南北朝之际，虽然是中国历史上少有的动荡时代，却也成为破陈出新的解放舞台。上层建筑的分崩离析打破了人们意识形态上的禁锢，于是在摆脱了传统儒学的束缚之后，人们的主体意识获得了觉醒，文学创作萌生了新趋向，即由外而内、由伦理而性情、由名教而自然的转变。个体向自我、人性、真情回归，恰恰印证了国学大师钱穆对魏晋之际的评价：在这个时代个人获得了"自我的觉醒"。

因此，把魏晋时期称为中国文化的"文艺复兴"，也不会有牵强附会的嫌疑。

建安诗人和建安风骨——悲凉与慷慨

"建安"，是东汉末代皇帝汉献帝的年号，而把这一时期活跃的文人墨客以"建安诗人"的名号称呼，主要是因为他们有相似的生活境遇。建安诗人在文学表现上的相似风格，得益于他们共同见证的一些事情；他们作为整体同汉朝儒生的隔膜，恰如唐朝的诗人们同他们的隔膜——建安诗人创造了一个独一无二的文学时代。

不过，真正能够称为建安诗人的魏晋时期人物，并不像唐朝诗人那样有一个庞大的数量，真正被铭记下来的，只有"三曹"（曹操、曹丕、曹植）和"建安七子"（孔融、王粲、陈琳、阮瑀、刘桢、应玚、徐幹），还有著名的女诗人蔡文姬。但是，正是这区区数十人，成为真正的历史精华，他们沉淀下来，让后人得以领悟跨越时空的感动。

诗人的舞台

无论是"三曹",还是"建安七子",都让自己一生中最精彩的瞬间,驻留在了魏国的首都邺城。东汉末年,群雄争霸的局面形成后,各路诸侯为了在乱世中赢得发展空间,争相采取维新的政策来吸引人才。邺城作为魏国的首都,在招募贤能方面无疑做得最出色,所以这个小城池竟然成为了当时的文化中心。

于是,邺城成为诗人们进行文学活动的舞台。他们乐意在这里会聚,饮酒赋诗,既增进了感情,又可以交流创作经验。诗人聚会的场所就在邺城邺宫西园,可见皇室对这一重大文学事件的支持程度。曹操本人就曾经主持过多次在西园的文人聚会,"七子"之一的王粲在《公宴诗》中写道:"高会君子堂,并坐荫华榱,嘉肴充园方,旨酒盈金罍",可以想见宴会的华丽,给他也留下了深刻印象。

其实,"三曹"不仅是"邺城文会"重要的组织者,也是积极的参与者。"三曹"之一的曹植,曾多次踊跃参加了"邺城文会"的文学活动。吕延济在注释曹植的《公宴诗》时说:"此宴在邺宫与兄丕宴饮。"诗云:"公子敬爱客,终宴不知疲,清夜游西园,飞盖相追随……飘摇放志意,千秋长若斯。"

"七子"后来相继归附曹氏,担任相当的要职,共同成为以"三曹"父子为代表的文学集团的骨干力量。他们之间的关系颇为融洽，就是贵为太子的曹丕，也并不以身份自骄。《世说新语》中保留了这样一段佳话：王粲死时，曹丕率领众文人给他送葬，王粲生前爱听驴叫，曹丕为亡人的缘故，提议给他送行的人学驴叫。于是，在王粲的墓前，驴的叫声响彻云霄。

建安骚客

曹操父子三人对建安文学的突出贡献不仅体现在他们为诗人们提供了一个文学活动的舞台，最大限度地给予了他们创作的空间，而且，他们自己也取得了突出的文学成就。

即使曹魏邺城的一度繁荣，也是在曹操施行了"挟天子以令诸侯"这一冒天下之大不韪的举措之后，才勉强得以维持的局面。这个非常态的现实，让人顿生朝不保夕的忧虑。无形的压力成为建安诗人心头难以释然的情感郁积，而正是这种情感的郁积，让建安诗人的作品具有了一种"风骨"的气质，也正契合了钟嵘对建安诗人的五言诗的评价："骨气奇高，辞采华茂，情兼雅怨，体被文质，粲溢今古，卓尔不群。"

曹操是"建安诗人"的代表人物。东汉末年，由名教的崩毁而引发的社会失序，同样让曹操感到迷茫和绝望。曹操作为在乱世中能够力挽狂澜的英雄，居然也会吟唱出

"虽怀一介志，是时其能与""快人由为叹，抱情不得叙""我愿何时随，此叹亦难处"的诗句。这种无可奈何的叹息是身处乱世的个体对生存境遇的忧患和生命意义的惆怅，也流露出对人生目标的失落感。

不过，曹操毕竟是一位政治人物，他那些叹息与悲凉的情怀，如果仅仅成为一种心情，就不会有邺城文化中心的建立以及建安文学的繁荣了，他更多的是一个实干家。曹操留下的广为流传的诗作也恰如座右铭，一直能够激励自己和后人获得进取的决心：

老骥伏枥，志在千里；烈士暮年，壮心不已。

山不厌高，海不厌深，周公吐哺，天下归心。

曹操在诗作中体现出来的悲凉与慷慨糅合的气质，奠定了建安诗人的创作基调。相似的生活遭遇也给建安文人带来了同样的创作源泉，而仅仅因为个人的领悟不同以及表现手法相异，才成就了创作的繁荣景象。

但是，沉重而慷慨的情愫，一直是建安诗人们的主题词。身处黑暗痛苦的社会现实，诗人们用写实的笔法，描述着他们对这个时代的印象。王粲的诗中写道："出门无所见，白骨蔽平原。路有饥妇人，抱子弃草间。"曹操的诗中写道："白骨露于野，千里无鸡鸣"，于是"喟然伤心肝"的悲怆忧伤心情油然而生，郁结于心，挥之不去。

当然，诗人们对这种幽怨耿耿于怀的同时，也会横生豪迈的情怀。于是，曹植立志追求"戮力上国，流惠下民，建永世之业，流金石之功"，同时感叹"丈夫志四海"的雄心。

才女文姬

建安七子的文学成就有目共睹，唐代著名文学家韩愈在《荐士诗》中称"建安能者七，卓荦变风操"，并不是溢美之辞。但是，同时有代表性的诗人，还有蔡琰。

蔡琰，字文姬，是汉代文学家蔡邕的女儿，"博学有才辩，又妙于音律"，所以取字"文姬"。蔡文姬幼年时候，父亲获罪而随父亡命他乡，这应该是她坎坷一生的开始。她在成年后，嫁给卫仲道为妻，但是不久丈夫身亡，于是归母亲家守寡。

在匈奴人侵略中原的战乱中，文姬为乱兵掠至南匈奴，嫁左贤王，滞留匈奴长达十二年之久，此间生了两个儿子。后来，曹操用金璧将她赎回，又再嫁给屯田都尉董祀。

于是，生活上的不幸，加上自己在艺术上的修养，使蔡文姬写出了一首传诵千古的诗篇——《悲愤诗》。这是一首长达五百四十字的长篇叙事诗，对个人悲惨命运和苦难遭遇的白描式抒写句句血泪，真切感人。可以说，蔡文姬的诗歌把建安文学的写实主义风格发挥到了极至，但又不缺乏摄人心魄的感染力。

蔡文姬的诗，感时伤世，"缘事而发"，沉郁苍凉，深切质朴，具有鲜明的历史感和强烈的震撼力，可以说是"汉末实录，真诗史也"。

玄谈名士——生命中不能承受之轻

同建安文人不同，正始诗人开始面临更加艰难的处境，以司马氏为首的"服膺儒教"的世家大族掌握了政权，这或许是同建安时期最大的不同了。敏感而忧郁的文人在这压抑的氛围中读到绝望与孤寂，也体悟到了生命中不能承受之轻。所幸的是，政治压力或是儒教禁锢并不曾消磨诗人们在文学表达手法上崇尚骨气与辞采，讲究情文并茂的追求。仅仅由于正始期间统治阶级争夺政权的斗争更加残酷，才使诗人们失去了拯世济物的政治热情。

效法老庄

建安诗坚持的写实主义批评精神，在正始文人那里或许打了折扣，这也并不能算是他们的过错，身处司马氏和曹氏两大集团的争权夺利的斗争漩涡，每个人都有朝不保夕的性命之虞，如何再强求所谓的慷慨豪壮之气呢？他们的诗作，或者以愤懑的情绪取代独立的现实风格，或者转而向老庄哲学寻求全身避祸的途径。"正始明道，诗杂

仙心"，这是刘勰在《文心雕龙》中对正始诗人的盖棺
定论。

　　饱含深重的人生忧虑以及夹杂其间的游仙幻想，让老
庄哲学在文人圈子中成为共同的话题。号称"竹林七贤"
的正始名士嵇康、阮籍、山涛、向秀、阮咸、王戎、刘伶
经常"相与友善，游于竹林"，应该是这个时代文人的代
表。当然，所谓"七贤"并非人人能诗，真正有诗作流传
的主要是嵇康和阮籍。

　　所谓"小隐于野"，嵇康在享受山川之乐的同时，也
留下不少随性的诗品，游仙之气就体现在这种类型的作品
之中，如《酒会》中描写鸳鸯戏水的自在神态："婉彼鸳
鸯，戢翼而游。俯唼绿藻，托身洪流。朝翔素濑，夕栖灵
洲。摇荡清波，与之沉浮。"钟嵘评说嵇康的诗"颇似魏
文，过为峻切，讦直露才，伤渊雅之致。然托谕清远，良
有鉴裁，亦未失高流矣"；刘勰则说"嵇旨清峻"，都是
对嵇康诗作风格的恰如其分的评价。嵇康喜作四言诗，因
为"四言不为风雅所羁，直写胸中语"，正如其诗所写：
"风驰电逝，蹑景追飞。凌厉中原，顾盼生姿。"《幽愤
诗》堪称嵇康的代表作，此诗作于嵇康因吕安事件被捕入
狱。嵇康之被捕，应该是遭小人暗算，所以他幽愤难消，
便以四言诗的形式排遣内心的孤寂。该诗凡八十六句，
三百四十四言，叙述了他对被捕一事的反思。最后，他立
志以此灾祸为惩戒，做一个"采薇山阿，散发岩岫，永啸

长吟，颐性养寿"的人，这真正是要回归老庄的隐逸了。

嵇康的诗作不仅"饶隽语"，而且"托谕清远"，其高操有人所不能描摹之处。东晋著名画家顾恺之推崇嵇康的四言诗，曾为诗作画。嵇康的《赠秀才入军诗》有"目送归鸿，手挥五弦"之句，顾恺之评说"恒云：'挥手五弦易，目送归鸿难。'"顾氏所谓难者，乃是他体会出嵇康诗作中流露出遥念远方亲人的全部琴思，而要将这种情愫用画的形象语言来表达，又谈何容易。

阮籍，其父是"建安七子"之一阮瑀，可见家学渊源对阮籍是很有影响的。《三国志》中写阮籍"才藻艳逸，而倜傥放荡，行己寡欲，以庄周为模则"，这种气质表现在他的作品中，就是使用隐晦曲折的形式，去抒发自己的愤懑与痛苦，表达自己对世事和人生的忧思与感伤。他传世的八十多首《咏怀诗》是一个最集中的体现。"夜中不能寐，起坐弹鸣琴。薄帷鉴明月，清风吹我襟。孤鸿号外野，翔鸟鸣北林。徘徊将何见，忧思独伤心。"诗作以曲折的笔法描绘出作者在夜深人静的时候孤独与苦闷的心境，表现了诗人彷徨不安和欲求解脱而不得的忧郁。

这种无法排遣的郁积之气，对于与阮籍同时代的人来说已经是司空见惯的了。个人的思想倾向与政治环境有着无法分割的联系，阮籍的一生，接二连三遭遇司马氏发动的政变事件，每次政变后都充满杀戮的白色恐怖，这确实是一个柔弱的文人无法承受的压力。于是，崇尚老庄成为他的掩饰，行为任性不羁，借此抛洒自己真实的性情。但是，阮籍时刻都是谨慎地践行着"发言玄远，口不臧否人物"的求生之道，以至于成为"大隐于朝"的隐士典范。咏怀诗只是偶尔成为情绪的突破口，还要用大量的比附、象征的手法，或者借助草木鸟兽等自然景物的描写，使含义隐而不露。

阮籍的《咏怀诗》是五言诗的名作，钟嵘把他的诗列为上品，评价说："可以陶性灵，发幽思，言在耳目之内，情寄八荒之表，洋洋乎会于风雅，使人忘其鄙近，自致远大。"他的作品之所以能够达到这样的意境，是因为他的创作都是自己内心感悟的真实写照，没有一丝矫情与做作，没有半点的虚情和假意，自然洗练的笔锋，实现了蕴涵深广的特色。这算作是正始之音的绝唱了。

人格超越

难能可贵的是，正始诗人即便是被绝望和孤寂重压得无法承受，即便是要用放浪形骸的怪异掩饰真性情，却仍旧坚守着内在精神的独立性，所以，自暴自弃的人性堕落、放弃尘世的宗教之途，在他们都是不齿的行为。他们仍然让一个大写的人字屹立在现实的大地之上，以一种理性的自觉对个体的价值、自我的解脱和人格的超越重新进行着思考与探索。

比如嵇康，在他的《幽愤诗》中有"采薇山阿"之句，是借用伯夷、叔齐"义不食周粟"、隐于首阳山采薇而食的故事，比喻自己绝不与司马氏集团妥协的态度。而他们的结局又是何其相似：伯夷、叔齐最后饿死首阳山，嵇康惨死于司马炎的屠刀之下。他们都是义人，高扬起气节，宁愿舍弃生命来实现人格的超越。

也许正是因为正始诗人们开始追求这种更加高远的精神超越和自由，使得正始文学在主旨上具有了更深层的主体化、哲理化意味。阮籍《咏怀诗》中诸如"飘若风尘逝，忽若庆云晞""飘摇云日间，邈与世路殊"等句，说的是对尘世的超脱，而"临堂翳华树，悠悠念无形""道真信可娱，清洁存精神"，则说的是精神向本体的飞腾。

西晋文人——唯美主义

司马家族在曹魏后期的政治斗争中取得了最后胜利。公元265年，司马炎登基帝位，开始了西晋王朝的统治。公元280年，晋武帝平灭了东吴一统全国，这是中原的人们在经历了一场持久的天下大乱之后得到的一次久违的统一。人们盼望着曙光的出现，预料中的"太康之治"在人们的期待中出现了，恰如"太康"这个年号所蕴涵的祝愿那样，终于有了一个新的开始。

于是，文学在这样一种跟过去有所不同的现实语境中，悄悄发生了一些改变。建安诗人因抱负无法实现的苦闷、正始文人因黑暗现实而产生的绝望，在西晋时代不再如此突兀了，与之相反，文学创作被一种相对平缓而淡静的心情取代，真正开始显露轻柔、绮丽、工巧的审美格调了。

在太康文人中，素有"三张"（张载、张协、张亢）、"二陆"（陆机、陆云）、"两潘"（潘岳、潘尼）、"一左"（左思）之说。他们创作的诗歌被称为"太康体"，体现在两个方面：一是模拟古人的风气盛行，一是追求辞藻典雅、对仗工整、用典故等外在的形式技巧，而失去了建安、正始诗歌的深厚内涵。刘勰说："采缛于正始，力柔于建安""体情之制日疏，逐文之篇愈盛"。即便如此，这些文人依然是那个时代的文学王国中的佼佼者，而其中陆机和左思的文学成就当属最高。

陆机出身于江东名族吴郡四姓之一的陆氏，家族带给他的知识积淀以及他从小生活其间的文化氛围——豪门士族，注定会影响他的价值取向和创作风格，并且伴随着士族在社会经济、政治方面的示范作用，引领了西晋一代的文风。

模仿古人的创作手段，是从陆机开始的。陆机传世的诗作大约一百首，多为这种类型。而他的模拟，不过是就原诗的意思变换词句而已，所以很难想像这样的诗作是否能够很好地表达作者的真实性情，这种创作态度似乎同他自己对文学理论"诗缘情而绮靡"的追求背道而驰。如果说《拟古诗》仅仅是《古诗十九首》的当代版的话，那么《短歌行》《苦寒行》等无非是对曹操诗的仿作罢了。

然而，有一点值得肯定的是，陆机在创作活动中对"缘情"的贯彻虽然并不彻底，"绮靡"却是做得十分充分。他的诗中描摹景色的句子讲究辞藻和对偶，其诗语言过于雕琢，以繁富求胜和匠心刻练的特点在当时颇受推崇。

西晋文风就其基本方面说，是士族所追求的绮靡，但左思等人却仍保持了自己独特的风格，成为建安风骨的继承者。

左思的文学作品一扫当时绮靡华丽的文风，其感情之充沛、笔力之雄迈、语言之朴实、风骨之矫健，在太康文学中可谓一枝独秀。钟嵘《诗品》评曰："文典以怨，颇为精切，得讽喻之致"。左思的《咏史》诗开创了借古人、古事咏怀抱负的先例，打破了太康文人拟古题、作古意的狭窄格局，对后代诗人如李白、杜甫的咏史抒情诗产生了深远影响。

左思这样的坚持也是付出了代价的。因国势由盛而衰，晋代的文学作品失去了汉赋的恢宏气势，像左思《三都赋》这样采用汉代大赋笔势，详尽描绘三国各都城景况的文章在刚刚问世之初，并没有得到接纳。人们的兴趣早已转向了能够抒情遣兴的小赋，左思为此十分懊恼，他于是把自己的作品带给张华看，不想张华给予极高评价，说它足以同张衡的《二京赋》相媲美。张华看出左思在文坛没有名气，建议他借助名人的吹捧，方能为世人所重。左思便求援于皇甫谧，请他为《三都赋》作了序。于是，早先对左思不以为然的人马上改变了态度，人人竞相传写，以至于洛阳纸贵。

陶渊明——田园情趣

晋代特殊的社会现实就是门第社会的兴起，追究起来，还是源于曹魏开始施行的"九品中正"制度。这种制度让出身寒微的人失去了许多仕途上的机会，于是就产生了士族与寒族之间的区别。出身寒门的知识分子渐渐失却了传达自己声音的阵地。"竹林七贤"之一的嵇康的所为，反映了寒士阶层坚持民主所受到的迫害，晋代则表现出寒士阶层不屈不挠与朱门的对抗，正是在这样一个中心问题上，陶渊明成为晋代最伟大的诗人。

陶渊明的伟大在于身处士节不振、玄风煽炽的时代环境下，以独立特行的高洁品格和旷逸质朴的诗歌作品在中国诗坛上树立了一座清秀高拔的丰碑。

陶渊明诗作的特点首先在于真实。他既没有任何夸张，也没有什么隐瞒，一切如实说来，还使用了最丰富的艺术形象的笔触。他用诗笔描写恬美静穆的田园风光，抒发自己闲适自得的心情。《归园田居》其一写道："少无适俗韵，性本爱丘山。误落尘网中，一去三十年。羁鸟恋旧林，池鱼思故渊。开荒南野际，守拙归园田。"这似乎也是现代人倾羡的理想生活状态了。

然而，生活本身却是艰苦的，陶渊明的"开荒南野际"就是实实在在的开荒，他和普通农人一样也要品尝"汗滴禾下土"的辛劳。此外，他是"家无仆妾"的，甚至还时常"藜菽不给""瓶无储粟"，以至于连自己的儿子好好读书的机会都没有，这对于一个封建时代的知识分子来说，乃是最难做到的牺牲。

陶渊明在这样的处境中坚持自己的理想，就更加令人崇敬。他的出现，使得沉寂了将近百年的诗坛重又获得新生的力量。他不仅总结了魏晋古诗，而且也启发了宋以后的新体诗，健康、鲜明的诗句，平凡、朴实的歌唱正是此后诗坛要走的路。果然，在砥砺的风气中，我们看到了大力创作富艳精工的山水诗的谢灵运以及以"文甚遒丽"的古乐府闻名于诗坛的鲍照等人，而后者的五言、七言和杂言乐府诗更是反映了作者艺术上的独创性和反抗现实的精神。

四、艺术——泽被后世的辉煌成就

秦汉之际的时代艺术特征，主要表现为对力度、气势、雄浑豪放的崇尚。其内在的美学精神，正是人的力量的折射，即显示了人对客观世界的征服和人对自我力量的认可。也正是在这个文化心理时空中，秦汉之际出现了纪念碑式的雕塑作品。从秦始皇陵浩大壮观、威武雄迈的兵马俑到汉武帝时代的大将霍去病墓前那气势古拙、浑朴持穆的石雕，都颇具雄健之气与阳刚之美。即使是像"马踏飞燕"这样的小件铜塑，也弥散出浓郁的诗意和浪漫的情怀，特别是那豪迈的气概和超越的气势，象征着华夏民族自那个时代的精神腾飞。

当历史进入动荡战乱的魏晋南北朝时代，正如前面所提到的，作为汉代统治思想的儒学以及派生的谶纬之学辉煌不再，传统的礼教束缚被打破的同时，士人思想随之解放。被儒学正统思想压制了数百年的先秦名、法、道诸家重新成为研究和探索的热点，清谈之风一时盛行。清谈与道家哲理的结合培育出士人放荡、自由的魏晋风度。表面看来，文人们感叹生命短暂、时光无情，主张及时行乐，似乎显得颓废、悲观、消极，实际上在他们内心深处涌动着对内心价值的执著，对旧伦理道德、鬼神迷信和外在权威的怀疑和否定。人们摆脱了东汉时代的道德、操守、人伦、气节的束缚，人的才气、气质、风格、格调、能力成为衡量人品的标准。而南朝的士族官僚门阀制度使士族知识分子出身高贵，有文化素养，生活奢侈，不务实事，对忠君报国也颇为冷淡。于是人们返璞归真，触摸自然，隐居被看做是一种高尚的行为，隐士超脱的风貌成为人们欣赏、学习和推崇的对象。

这一时期，佛窟造像见证了当时佛教的盛行。佛、道成为隐士的精神营养，成为心灵的筛子，它清除了烦恼、苦闷和绝望，留下所谓的希望和平静。

社会的、道德的、精神的、宗教的种种变化和更新直接影响了当时的士人创作。他们以抒发情怀、陶冶性情为目的，文艺观亦由两汉时期的载道转为缘情。于是，艺术面向大自然，山水诗、山水画、花鸟画兴起，开辟了新的创作领域。人物画由两汉的重外形变为重神韵（人物形象的神态气质），"以形写神""气韵生动"等文艺理论亦应运而生。

不独绘画，历史进入魏晋之后，"中国独有的美术书法——这书法也是中国绘画艺术的灵魂——是从晋人的风韵中产生的"（宗白华语）。特别是自东晋王羲之开始，中国书法及其美学发生了一种根本性的转折，那就是在书法中对"意"和"神采"的强调超越了政治伦理、社会功用的"工具论"范畴，而真正成为中华民族所特有的一种旨在"任情恣性"的审美方式，一种以"流美""表意"为主的独立的艺术样态。在魏晋书法对"意"的重视和强调中，不仅体现出"文"的自觉，同时也反映出"人"的自觉。在书法中对个人感兴意绪、心境玄悟的追寻对后来书法艺术的品格有强烈而深远的影响。

总之，由于这个时期社会的动乱、仕途的艰险，文人学士常在政治斗争的祭坛上成为祭品。于是，他们在深深的忧愁恐惧中远离时政，放浪形骸，论佛说玄，林下风流，这样反而摆脱了功利、仕途的羁绊。于是，一种潇洒飘逸、超然旷达的"魏晋风度"在战乱杀戮的时代氛围中翩翩而至。从画圣顾恺之的《洛神赋图》到书圣王羲之的《兰亭序》，从敦煌莫高窟的壁画到洛阳龙门石窟的佛雕……一边是金戈铁马、血火交融，一边却是艺事兴盛、才思飞扬。

佛教对艺术的影响

魏晋南北朝时代，思想领域内佛道与玄学的引介以及发展，深深影响到了艺术的表现形式、内容和情怀。对佛教文化的冲击，南方汉族士大夫主要接受的是佛学义理的启示，从而引申出新的价值取向。他们引进了佛教的因明学，使中国传统哲学的基本命题更加周密和逻辑化。他们表现佛教绘画、雕塑的题材，特别突出的是其中思辨的内容和山水的观念；和南朝文人士大夫的倾向不同，北方统治者则以实际行动来修积功德，把深刻的佛学义理通过可视的形象表现出来，以感动广大的信徒。这种南方重义理、北方重功德的倾向表现在艺术上则是：在南方士族中间几乎很少有画家不表现佛教的题材，几乎很少有书法家不受到佛教的影响，程度可以有深浅，但只要是有名的人总会在作品中有佛学思想的渗透，对佛学有所发挥。

和魏晋南朝那些自觉参与佛教艺术创造的书画家、雕塑家相比，北方修"功德"之人的文化程度很难同日而语。起初，工匠们仅限于模仿，为不同阶层的"施主"和"供养人"开窟建寺、绘壁塑像，以满足整个社会对宗教胜景的向往；北方的诸多地方政权的统治者，汉文化程度有限，佛教相对于其他宗教反倒有先入为主的优势。也因为统治者的文化水平不高，视觉的形象往往比细腻的玄理更受重视和欢迎。上行下效，在战乱动荡的时代里，广大的民众也视佛教为生活的希望，不惜以"卖儿贴妇"来全心全意侍奉佛祖，为来世积修功德。所以北方的佛教艺术遗迹注入了"供养人"和工匠们的智慧和信念。

后来的工匠逐渐按照自己的标准和习惯创造出中国化的佛像。工匠们对挖掘幽深的石窟、修建别致的寺庙和寺塔同样表现出浓厚的兴趣，佛教的传播和兴盛为中国艺术的发展提供了新的题材、新的内容、新的形式，艺术家们拥有了更广阔的创作天地和创作源泉。

绘画雕塑

在进行抽象的玄思、体悟艰涩的禅宗之余，用形象的艺术手段表达内心的想像，这已然成为魏晋文人惯用的手法。于是，在这个多彩的时代，连绘画艺术都具备了独特的时代性。

这种独特性，可以概括为艺术的自觉。所谓自觉，即指绘画不再是三国时代曹植一直强调的"存乎鉴者"的手段，不再是简单的伦理教化工具，而成为作者对绘画艺术之审美品格的自觉追求，成为作者表达自己内心世界的形象化工具。这种转变得益于绘画队伍的发展壮大，特别是士大夫阶层开始把绘画作为一种精神修行的内容。在这个玄风盛行的时期，这些文人墨客所理解的"玄"就不再仅仅表现为隐遁山林、静思默想的风尚，还可以表现为对生活情趣和高雅风度的追求，于是绘画如谈玄、饮酒、乐舞一样成为了一种个人乐趣，并充满生机。

这一阶段绘画艺术走向自觉的审美文化历程大致是：魏晋以来人物画兴起，至东晋顾恺之成为集大成者。此后，山水画又从人物画中（作为人物画的背景因素）分化出来，渐趋独立，宗炳堪称代表。与这一绘画艺术实践相适应，绘画美学也围绕着形、神关系问题在理论上展开了从顾恺之经谢赫到宗炳、王微的逻辑演变过程。

人物画到东晋才臻于成熟，代表性画家是顾恺之。顾氏是当时名士，言谈举止"痴黠各半"，"好矜夸"，"好谐谑"，"率直通脱"，被时人称为"三绝"（画绝、才绝、痴绝）。他喜好清谈，深受玄言诗人如许询、孙绰、桓温、庾亮等人的影响。这一切都表明他精神上所依归的是魏晋之际"自我超越"的审美文化主旨，这一点对理解他的绘画个性特征非常重要。他在绘画上成名很早，二十岁左右就在瓦棺寺绘制维摩诘居士像，广受赞扬。他所画的人物、佛像、美女、龙虎、山水、鸟兽等，无不精妙，其中尤以人物为最佳。

顾恺之的人物画在继承卫协的基础上，从颜色到用笔又有特殊创造，形成了自己的两大审美特色：一是在坚持形似的前提下，重点放在人物神韵的传达上。另一个特点则是刻意将人物置于山水之间。

极力在绘画中体现传神精神的顾恺之，在画人物眼睛时尤其谨慎。"每画人成，或数年不点目睛。人问其故？答曰：'四体妍蚩，本无关于妙处，传神写照，正在于阿堵中。'"顾氏之所以在点睛之笔上如此讲究，其实可以理解为他身处的时代艺术理念的反映，在瓦棺寺描绘维摩诘居士像时，顾恺之就尤其在乎这点睛之笔，由是赢得了世人的赞颂。元黄之在《瓦棺寺维摩诘画像碑》中指出，"目若将视，眉如忽鼙，口无言而似言，鬓不动而疑动"，这正是探究玄佛之理而追求忘我的名士写照，这种内心恬淡的心理刻画和秀骨清像的类型描写正是时代的特征。

顾恺之对山水自然天然的感受能力使他在自己的作品中力求把人物营造在一种山川美景的氛围之中。有一次，他从会稽回到他所任殷仲堪参军时的驻地荆州，别人问他对会稽山水的印象，顾氏回答说："千岩竞秀，万壑争流，草木蒙笼其上，若云兴霞蔚。"

据画史记载，顾恺之有许多作品，如《中兴帝相列传》《列仙图》《三天女图》《女史箴图》《洛神赋图》等，都为世人所重。不过流传至今的作品多为原作的摹本，尽管如此，仍能从中看到六朝画家的鲜明风格。

《女史箴图》是依据西晋张华的文学作品《女史箴》而作，画中通过对当时贵族妇女的生活描写来展露她们的神采。画家注重用线造型，线条连绵不断而悠缓自然，体现出流畅的节奏感。用线的力度不大，正如"春蚕吐丝"，可谓将战国以来形成的"高古游丝描"发展到了完美无缺的境地。

《洛神赋图》是根据曹植的文学创作画成，作品以故事的发展为线索勾勒出男女主人公可望而不可即的惆怅。

画家将人物置于自然山川的环境中，侧重刻画人物之间缱绻的情思，令人体会到画家"悟对通神"的艺术主张。

顾恺之总结了汉魏以来民间绘画和士大夫画家的经验，成为当时最有成就的画家。与其同时代的谢安对他评价甚高，认为"顾长康画，有苍生来所无"，谢赫在《古画品录》中则将顾恺之仅置于第三品，引起稍后的姚最以至唐人的不平；姚最认为顾恺之应与陆探微"同居上品"，唐代张怀瓘则认为："像人之美，张（僧繇）得其肉，陆（探微）得其骨，顾（恺之）得其神，以顾为最。"

南朝宋代的陆探微是顾恺之以后较有成就的画家。他作画的艺术风格与顾恺之相近，据说他的画"参灵酌妙，动与神会，笔迹劲利，如锥刀焉，秀骨清像，非常生动"；梁代画家张僧繇吸取了印度画法，以彩色在画面上显示凹凸，为中国画法开辟了新天地。这种画法，于线条之外，别施彩色，微分深浅，其凸出者施色较浅，凹入之处赋彩较深，于是高下分明，有立体之势，对于中国原来的线条画法是一大改变。他还创作了大批非常生动的寺院壁画，相传他作安乐寺四白龙壁画时，其中二龙点睛后即飞去，这就是"画龙点睛"这一成语故事的由来。

晋宋以降，魏晋玄学推演了山水观念的转换，使山水获得了新的美学意义。庄老告退，山水方滋。神超形越之外，玄对山水，自然的山水成为山水的自然。人们关注山水，表现山水，扩展自己的生活空间——"嵩华之秀，玄牝之灵，皆可得之于一图"。随着门阀士族喜欢游山玩水，喜欢山水诗，山水自然之美从单纯作为人物之背景、人格之衬托的附属地位中解脱出来，走向了自身的独立。这一变化反映在绘画领域，便是山水画的历史性崛起。

山水画基本于南朝时方始兴起，一般归因于南方地理多山水花色和文人名士多遁迹山林等，都不无道理。但山水美、自然美的凸现和独立最离不开的是与之相适应的人的超功利、超现实的自由心灵。而当时佛教思想的流布又制造了一个产生自由心灵的物幻世界。

在这一点上，南朝宗炳是一个鲜明的个案。谈到宗炳，就不能忽略他作为佛学家的事实。他所著的《明佛论》，又名《神不灭论》，既是他个人哲学思想的表露，也是他在中国画史上得以集佛学家、美学家和第一位真正的山水画家于一身的思想背景与义理根源。他对艺术的理解，很大程度上受到佛学思想的影响，具有"精神化"的人格、重"神"轻"形"的审美观，这些都渗透到他对山水画的创作中。宗炳壮年曾漫游山川美景，师法造化；晚年病居，将所得山水稿绘于壁上，谓之"卧游"，静心体会自己画中所达到的"神畅"理念。

宗炳还发前人所未言，在其《画山水序》中给山水画的成因以一个合乎实际的诠释："夫昆仑山之大，瞳子之小，迫目以寸，则其形莫睹；迥以数里，则可围于寸眸。

诚由去之稍阔，则其见弥小。今张绡素以远映，则昆、阆之形，可围于方寸之内。竖划三寸，当千仞之高，横墨数尺，体百里之远。是以观画图者，徒患类之不巧，不以制小而累其似，此自然之势。如是，则嵩华之秀，玄牝之灵，皆可得之于一图矣。"宗炳的思想建立在山水画发展的过程中，他把以往过于精神化的山水理念，引到视觉的理念之中，从而为山水成"形"作出了前所未有的贡献。宗炳还提出了"应目会心""应目感神""神超理得"，这是他对山水画作出的具有本质意义的界定。千年以后，画家百代，然山水画的准则却千古不移。

和宗炳同时代的王微及梁时的萧贲，也是山水画的名家。萧贲"尝画团扇上为山水。咫尺之内，而瞻万里之遥；方寸之中，乃辨千里之峻"。

南北朝时期，北方也涌现出很多杰出的画家。北齐时有杨子华，当时称为"画圣"；北周时有田僧亮，他画"野服柴车，称为绝笔"。

这一时期在绘画领域出现了一批理论文章，戴逵、宗炳、顾恺之、萧衍等都有画论传世。其中最深刻和完整的当属南齐谢赫的画论。

《古画品录》是我国第一部完整的绘画理论著作，谢赫在这部著作中提出著名的绘画六法，即品评绘画的六条标准。"虽画有六法，罕能尽赅，而自古及今，各善一节。六法者何？一、气韵生动是也；二、骨法用笔是也；

三，应物象形是也；四、随类赋彩是也；五、经营位置是也；六、传移模写是也。"这六条标准后来被推崇为"六法经论，万古不移"，成为此后绘画批评中的根本原则，也成为我国古代美学理论中的重要内容。

随着人们对魏晋绘画的探求以及考古工作的开展，人们还发现了魏晋墓室壁画和壁画砖。这一时期发现的墓室壁画主要有：甘肃嘉峪关，云南昭通，新疆吐鲁番，江苏丹阳、南京和吉林集安等地。壁画的内容较之前代增多了反映现实生活的题材，并以独立的画幅出现。甘肃嘉峪关魏晋墓的壁画砖中对放牧、屯垦的描写，反映出河西地区的生活特点。其中的放马图以极洗练刚劲的线条勾勒，笔触率意简约，颇有动感气势，似还保留着汉代的画风。河南邓县南北朝墓的画像砖，绘制得颇为精致，并施以色彩，题材内容有三四十种，天上人间、神话传说、舞蹈伎乐皆有，技法严谨工丽，线条劲健畅达。如战马图，造型生动英武，两位战士手牵缰绳，显得气势豪迈，运用了浅浮雕技法，更增强了立体感。

值得注意的是在江南出土的墓葬中，多有七贤画像。在传统的神仙、帝王、先贤的画像中，出现了这样一批既无高位又无大功的文人像，充分体现了那个时代的人文主义新气象。南京出土的一座东晋墓中有《竹林七贤和荣启期图》，最令人注目。作者继承了汉代画像石的技法，高度发挥线条的表现力，着重刻画人物的性格特征。人物都席地而坐，但姿态不一、手势不同，从而刻画出人物的不同性格。他们每个人的手中都有东西，以此作为道具来表现人物的情感嗜好。如嵇康坐于树下弹琴，昂首远望，一副高傲神态；好饮的刘伶左手托酒壶，以右手小指蘸酒，低头品味，一副酒徒模样；头裹方巾的山涛，一手挽袖，一手举觞，身体微向后倚，双目凝视，似在悠然遐思。整个画像石线条流畅飘逸，显得舒展潇洒，与竹林七贤狂放不羁的个性相适应。这些宝贵的画像石显示了人物肖像画达到了很高的水准。

南朝许多名画家也以善雕刻著名。戴逵（326～396），字安道，是顾恺之时代另一有名画家。他曾造一丈六尺高的无量寿佛及菩萨像，为了创造新的样式，他暗暗坐在帷帐中倾听众人议论，根据大家的褒贬，加以研究，三年才完成。他在南京瓦棺寺作的五躯佛像和顾恺之的维摩诘像及狮子国的玉像，共称"瓦棺寺三绝"。

魏晋南北朝雕塑艺术的发展，和佛教盛行、寺院林立、广开石窟是有着密切关系的，所以这一时期的雕塑艺术成就都集中在寺庙和石窟里，并受到印度艺术很深的影响。

石窟寺庙

石窟建筑就是在山林或岩壁上选择合适地点凿岩开

洞，或雕刻，或塑造佛像；在石壁上，则以绘画和浮雕表现各种图画。雕塑和绘画相互辉映，庄严富丽。

现存的石窟建筑主要存在于北方，为后世留下了宝贵的文化遗产，但是，这并不能表明南方佛教不如北方繁荣，南京一带也有小型的石窟寺的修筑，文献记载中的佛教艺术成就也非常出色，只不过经过了千百年的沧桑，偏重对佛教义理的吸收所创造的作品不如北方佛教艺术遗存立体和持久罢了。在这样的情形下，北方佛寺石窟艺术就显得格外珍贵。

佛教石窟这一建筑形式，严格说来，是寺庙建筑中的一种，具有兼礼佛和修行于一身的功能。在隋朝统一之前，北方主要的石窟地点分布很广，由北至南，由西到东，佛教寺院遍地开花。所不同的是，尽管石窟和其他形式的寺庙不断兴废，石窟艺术却因为其特殊的结构，保持得更为长久。换言之，中国古典建筑是以木结构为主，易建也易毁，而佛教石窟寺，如现今所见到的大部分遗址，就只留下石窟而无

伎乐飞天图

麦积山石窟

原来的木结构寺院建筑了。而北方的石窟中，又由于各地选择开凿的山石有不同的内部型制，因此在设计上也就有所侧重，像敦煌莫高窟是开凿在鸣沙山的砂岩断层上，所以其石窟的内部型制就不容易设计得像大同云岗石窟那样精致，后者利用质地坚硬的花岗岩，在几个石窟中表现了丰富的空间层面。

有了石窟寺所提供的建筑空间，就可以安排礼佛的对象。佛像的制作，根据石窟的质地，可以采用雕刻，也可以采用泥塑。大凡兴建于花岗岩地区的石窟，建筑与雕塑是一同设计的，仿佛是从山岩中把这些内容同时雕凿出来，这种整体构思的能力显示了佛教艺术的想像力和创造性。在这个只能减不能加的开凿过程中，没有成熟的立意和全盘的设计是不可能成功的。在雕刻佛像方面，有受希腊风格影响的样式，也有印度其他宗教的图像，说明了工匠们在雕刻的过程中受到了外国开窟经验的影响。

龙门石窟宾阳洞中洞

　　在不具备石刻条件的地方，泥塑形式起到了重要作用。这种形式的优点是可以不断增加视觉效果，在整个石窟的内部装饰上大显身手。在莫高窟，连接建筑和其他艺术媒介的就是泥塑妆彩。不但石窟壁画上可以装饰高低浮雕，而且各类佛教造像也可以根据佛窟整体规划作适当的调整。更为重要的是，妆彩的雕塑作品也容易和布满窟壁的多姿多彩的佛教绘画和图案融为一体，营造出和现实生活不同的佛国世界。

　　而在以石刻为主的石窟中，主佛的妆彩也是相当辉煌的，在窟内四壁，用浮雕代替壁画，从而刻画出动人的佛传故事和美丽的装饰图案。像洛阳龙门石窟中，还添上了大量的"供养人"和"功德"的碑铭，成为中国石窟艺术中又一杰出的创造。

　　以上就是对存在于北方的石窟寺艺术的总体考察，下面简单介绍几个典型的遗迹，以便人们对这种融建筑、雕塑、绘画艺术于一身的石窟艺术有更切实的了解。魏晋南北朝时期留存下来的主要石窟有新疆克孜尔石窟、库木吐拉石窟，甘肃敦煌石窟、麦积山石窟、炳灵寺石窟、马蹄寺石窟、山西大同云冈石窟、太原天龙山石窟、河北邯郸峰峰响堂山石窟、河南龙门石窟等。这些石窟艺术是随着佛教东传的脚步而在北方各地由西向东陆续发展起来的。

　　中国境内石窟的开凿，最早当在新疆地区。新疆维吾尔自治区今存石窟，以天山以南拜城、库车、吐鲁番等地最为集中。在拜城的克孜尔一处就有石窟二百余个，其中窟形、壁画保存完整的有七十多个，但是窟内塑像全毁。这些石窟开凿的年代，部分当在东汉后期和晋朝，多数则在北朝和北朝以后。窟中壁画多为佛经故事、佛像以及各种装饰图画。

　　新疆维吾尔自治区以东，甘肃省境内是西域通向中原的走廊地带，因而石窟也最多。敦煌东南的莫高窟开凿在鸣沙山的断崖上，延绵排列千余米，今存有塑像、壁画的石窟还有四百八十六个，其中属于前秦到北朝的有二十多个。敦煌西南的千佛洞，十六窟中多数是北魏时凿成的。敦煌以东安西的榆林窟（万佛峡）、永靖炳灵寺石窟、天水麦积山石窟、庆阳石窟寺等，都是始凿于十六国或北朝时期，其中麦积山的百余窟绝大多数都是北魏晚期和北周的创作。

由河西走廊向东，石窟艺术传播到了北魏都城地区。大同以西武州山的云岗石窟群共有百余窟龛，规模宏大，其中最早的五窟是北魏文成帝命沙门统昙曜开凿的，以后献文、孝文诸帝都在这里大量兴造。云岗石窟雕像数量极大，最大的佛像高达十几米，气势雄伟，神态凝重，富于质感，艺术价值很高。

洛阳造窟始于太和初年（477）。孝文帝迁都洛阳以后，石窟艺术在这里更行发展，艺术风格也更多地受到中原的影响。宣武帝景明（500～503）初，在洛阳以南伊阙龙门山营造石窟，以后龙门伊阙两岸石窟工程日益浩大，斩山石数十丈，二十余年中用人工八十万以上，至于私人造像也是盛极一时。经过北魏至唐代的不断修造，龙门断壁上石龛遍布、大小石佛林立，足与云岗石窟媲美，成为中国古代雕刻的两大宝库。

北魏末至北齐、北周时期，黄河南北各地凿窟造像之风极盛，著名的石窟寺除了上述各处之外，还有太原天龙山石窟（始凿于东魏）、巩县石窟寺（始凿于北魏末）、邯郸峰峰响堂山石窟（始凿于东魏）等等。辽宁义县也有万佛洞石窟，建于北魏孝文帝太和二十三年（499）。四川广元的造像，成于北魏末期，就其艺术风格来说，是麦积山石窟艺术的一个支派。至于江南地区，由于地理条件和其他原因，石窟很少。史载梁沙门僧祐营造摄山大像（在

嵩岳寺塔

今江苏江宁境）、剡县石佛（在今浙江新昌境），其中剡县石佛高达十丈，规模宏伟。其遗迹经过后代修补，现还存在。

最后介绍一下寺庙和寺塔。佛教最初无偶像崇拜，只有保藏佛舍利和遗物的圆形矮塔。佛教传入中国以后，塔也传入中原。塔一般位于寺的中央，成为寺的主体。早期的寺不少是官吏、贵族赠送的宅府，因此佛寺的建筑和布局与大型宅府衙署相似，随着佛教的兴盛，住在寺庙中的僧侣越来越多，朝拜的信徒就更多了。于是，殿与塔分开，塔建在寺外，佛殿成为寺院主体。

佛教寺院建筑，西晋时在洛阳、建康盛极一时；北魏末年，洛阳的寺院增至一千三百六十七所，各州郡已增至三万余所；北齐时，仅邺城的佛寺已约计四千所，齐境之内竟达四万余所。北魏的永宁寺和梁朝的同泰寺是当时具有代表性的寺院，《水经注》和杨衒之的《洛阳伽蓝记》对永宁寺都有具体描述。据说当时的西域沙门菩提达摩来到洛阳，"见全盘焰日，光照云表，宝铎含风，响出天外"，对它歌咏赞叹，自称走过好多国家，从未看到过这样的寺院。在洛阳的寺院里，多建有浮雕，佛殿僧房也模仿天竺的形制。至于佛像的雕塑，更富于异国的色彩，"摹写真容，似丈天之见鹿苑；神光壮丽，若金刚之见双林"。为了便于创建寺塔，求法人往往在巡礼之际，按照天竺的佛教寺塔形式制造模型。北魏使者宋云，在乾陀罗国（即提陀罗）访问了著名的雀离浮雕，特意妙选工匠，用铜制造了雀离浮雕和释迦四塔的模型。当年的寺院建筑因是土木构成，经受不住时间的考验，已大量毁灭。佛塔之属还有存者。河南登封嵩岳寺塔是高十五层的密檐式砖塔，建于北魏正光四年（523），是我国现存最早的佛塔。

书法

魏晋南北朝是我国书法艺术发展史上一个承前启后、流派纷呈的辉煌时期。尽管这个时期大部分是处于战乱不已、分裂割据的状态，但书法艺术并没有因此停滞不前，楷、行、草、隶等字体同步发展，风格多样而臻于完美。正因为晋代出现了彪炳书法史册的"书圣"王羲之与"小圣"王献之，才有了后人"唐诗晋字汉文章"的说法。魏

王羲之《雨后帖》

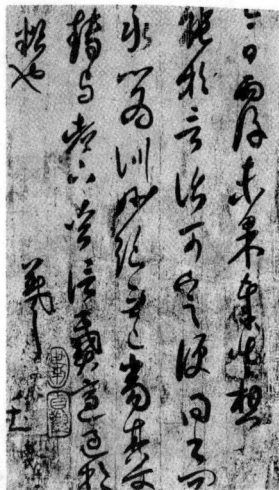

晋六朝书法从当时的社会汲取了不竭的动力，书法的笔墨条线成为了士大夫阶层遣兴抒怀的载体。

书法是与绘画有密切关系的一门艺术，它和绘画"骨气形似皆本于立意而归乎用笔，故工画者多善书"。东汉末年，书法艺术已经形成，著名学者蔡邕就是那时的书法能手。汉末至三国初年，梁鹄以善八分书（隶书不带挑法者）著名，梁鹄弟子毛弘承传鹄的笔法，为晋代八分书法之宗；张芝善章草（旧隶的草体），据说他"临池学书，池水尽墨"，时人称他为"草圣"。他的书法对魏晋书法影响很大，西晋卫瓘、索靖都传其草法，号为"一台（尚书台）二妙"。

魏初的钟繇擅长真书（楷书），又与胡昭同传汉末刘德升行书。钟繇师承曹喜、蔡邕等人，学书勤奋，昼夜不息，

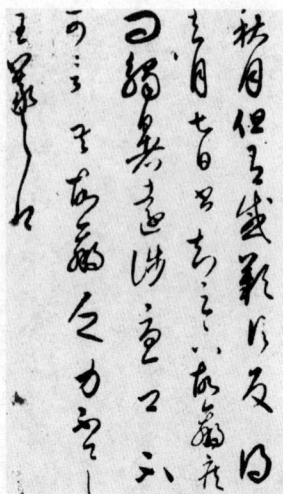

王羲之《七月都下帖》

夜里睡觉还用手指在被子上摹画，日子久了，被子都被划破了。钟繇的书法各体皆能，尤精于楷书，点画之间多有异趣，而结体朴茂、出于自然，形成了新貌，在推动隶书向楷书转变的过程中发挥了关键作用。西晋"立书博士，置弟子教习，以钟、胡为法"。行书、真书比旧隶简易，魏晋间行书、真书的流行，是汉字书法的一种进步。

东晋时期，士族文人工于书法的非常多，王羲之、王献之父子，是中国书法艺术史上的重要人物。王羲之后来被称为"书圣"，他学钟繇书，同时又汲取了魏晋诸家书法的精华，兼撮众人，善于思考，于运笔、结构间颇有启悟，从而改变了汉魏以来质朴雄浑的书法，形成了娇美秀逸、韵胜度高的晋书格调。其书法的总体特征是运笔丰盈跌宕而不锋芒毕露，气势稳健洒脱而安逸平和，笔画线

王献之《鸭头丸帖》

条的粗细变化与运笔提按的枯涩疾速自然和谐，结构的疏密挪让与章法的虚实分布浑然呼应。王羲之出身士族，但他敢于蔑视礼教，把个人的才情作为最珍视的对象，因而在创作自己的书作时，再没有"书同文"的大一统的政治使命在身。这对于他革新书法、自成一格也意义非凡，使他的书法在审美化、艺术化的道路上达到中和之美的古典境界。

他首先完成了由带隶书波磔的"章草"向今草的转变，奠定了今草"笔方势圆""遒媚相生"的古典审美范式和偏于尚韵表意的美学性格。他著名的《十七帖》是草书的典范之作，观赏全帖，只见字字独立，互不牵连，然又上下俯仰，左右顾盼，气韵神离，生趣贯注。点画之间，似有一种深长难状的无尽意味在流溢涌动，素有"一笔书"之称。同时，此帖虽为信札，似乎随意写来，但不经意之中却章法有致，其用笔方折劲峭、布局形密势巧、结字从容衍如、体态婉转健朗，体现出古典中和之美。

被称为"天下第一行书"的《兰亭序》，则更加集中地体现了其书法革新精神和中和审美理想，因而也最为后世所称道。这是他在公元353年完成的作品，那时候，王羲之邀请了谢安、孙绰等四十一位亲戚朋友在乡间的兰亭举行野外盛会。大家曲水流觞，饮酒赋诗，"仰观宇宙之大，俯察品类之盛，所以游目骋怀，足以极视听之娱，信可乐也"。为了纪念这次雅集，王羲之在席间写下了这篇千古不朽的名作。其文心与书艺都体现了晋人的风骨，使中国文人对人世和自然的感悟上升到了一个新的高度。从序文传达的深沉的历史感可以想象出当时知识分子内心的苦闷。这种"人生不满百，却怀千年忧"的忧患意识的确使"后之览者，亦将有感于斯文"，而他乘兴所书的这篇杰作，也因此成为千古绝唱。此作字字精妙无比，若有神助；行笔轻重疾徐，跌宕起伏；笔断意连，法度谨严；结体欹正相间，遒媚劲健。章法上凡二十八行，计三百二十四字，长短配合、疏密相间，确有似欹反正、若断还连之妙。王羲之的这篇杰作奠定了妍美流便的新体行书风格，经后世千百年的发展而未有大变，显示了它既深且巨的影响所在。

对王羲之的书法，后人品评甚多。梁武帝赞其书法为"龙跃天门，虎卧凤阙"；唐太宗赞之为"飘若浮云，矫若惊龙""烟霏露结，状若断而还连；凤翥龙蟠，势如斜而反直"。对《兰亭序》，人们的论赞更多，清代解缙赞其"字既尽美，尤善布置，所谓增一分太长，亏一分太短"。唐太宗对《兰亭序》帖非常痴迷，到了非据为己有不可的地步，于是在费尽心机骗到手后，把它作为了自己最好的陪葬品。

王羲之的书艺代表了"晋字"的最高成就，而在他的周边也有一大批重要的书法家，共同烘托出时代的特征，其中王羲之的第七子王献之也许是影响最为突出者，他的书法兼精楷、行、草、隶各体。献之幼学于父，从小就显露出超人才华，才气勃发，咄咄逼人。献之不为其父笔法所囿，别创新法，自成一家，令人刮目相看，可惜天妒英才，四十二岁就病卒了。

王献之的小楷书以《洛神赋》为代表，其用笔外拓，结体匀称严整，如大家闺秀，姿态妩媚雍容。清杨宾《铁

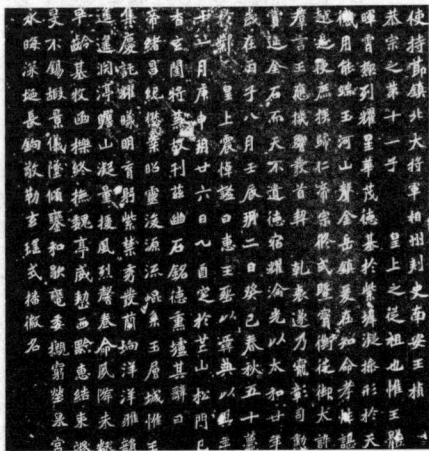

北魏石刻

函斋书号》认为"字之秀劲圆润,行世小楷无出其右"。从《洛神赋》中可看出,王献之的楷书笔法不再带有隶意,字形也由横势变为纵势,已是完全成熟的楷书之作。

"稿行之草"的行草是王献之独创的书体,《鸭头丸帖》又是他行草的代表作。其帖二行,文曰:"鸭头丸,故不佳。明当必集,当与君相见。"共十五字,系王献之给友人的便札。全帖用墨枯润有致,姜夔《续书谱·用墨》说:"凡作楷,墨欲干,然不可太燥。行草则燥润相杂,以润取妍,以燥取险。"《鸭头丸帖》两层意思,蘸墨两次,一次一句,墨色都由润而枯,由浓而淡,墨色分明,从而展现出全帖的节奏起伏和气韵自然变化。

王献之创"稿行之草"为其一大贡献,创草书"一笔书"为其又一大贡献,他将张芝的"章草"和其父王羲之的今草又向前推进了一层。草书名作《中秋帖》就是其"一笔书"的代表作,笔势连续不断,宛如滔滔江河,一泻千里,表现出一种雄姿英发的爽爽之气,被列为清内府"三希"之二。

王羲之、王献之父子在书法上各有千秋,羲以真行为显,献则以行草为能,"父之灵和,子之神骏,皆古今之独绝也"。他们既是旧书体的集大成者,又是新书体的开先风者。其所代表的"晋风尚"之书风依然显迹于南朝:宋有羊欣,齐有王僧虔,梁有萧子云,陈有僧智永,皆大致不出"二王"一路,从而铸成南朝书法"疏放妍妙"之优美品格。

东晋南朝的书法宗"二王",十六国、北朝则重钟繇、卫瓘。北方士族清河崔氏、范阳卢氏家族工于书法的人也很多。卢谌学钟繇,崔悦学卫瓘,谌、悦又同习索靖草书,子孙相袭,为北方书法世家,所以史称"魏初重崔卢之书"。崔悦之孙崔宏善草、隶、行书,行书尤为精巧。他们的特点是发展了汉魏这一系统的风格,笔力雄劲骏放,结体端庄古雅,有别于南朝二王"流风回雪"的韵情。

值得一提的是晋代的书法理论也很繁荣,当时的书法家大多有理论著述,形成了书学理论体系,如卫恒的《四体书势》,卫夫人的《笔阵图》,王羲之的《论书》、《题卫夫人〈笔阵图〉后》,索靖的《草书状》,成公绥的《隶书体》等。这些书法理论不仅是当时书法实践的总结,而且对书学艺术规律、笔墨表现形式等都作了有益的探讨,使得义理并茂。因此,晋代书法辉煌的成因还得益于扎实的理论根基和先进的学术思想,并由此对今后书法艺术的发展产生了深远的影响。

五、俗文化

社会的构成是多元的，而较之上流社会的生活，平民阶层的文化似乎更能体现一个时代的文化。

大众娱乐

魏晋之际的娱乐活动是丰富多彩的，其中既有对历史的继承，也有当时的创造。不可否认的是，有一些娱乐活动不过是上层阶级消遣的方式而已，上流人对这样的游戏，观赏多于参与，而对于民众而言，实际上是具有表现性质的。还有一些游戏活动，广泛存在于各个社会阶层，是真正的全民同乐。

如果认真追溯起来，许多体育活动都是原始人生活技能的必要的训练方式，后来，由于社会的发展，人们控制自然界的能力不断提高，而这种训练方式却保留下来，于是形成为体育活动，以满足人们强身健体的朴素愿望。

体育活动经常以比赛和表演两种形式出现，是社会文化生活的一项重要内容。魏晋之际，体育活动获得比较快的发展，是同民族大迁徙与大融合联系在一起的。正是由于这种交融，使得骑马射箭以及角力等原本属于少数民族人们基本生活技能的技艺，为汉族兄弟学习，演化成为大众参与的娱乐活动。

田猎应该是最具代表性的一种类型了，不过田猎是属于上层社会贵族们的活动，它的大众参与度十分有限，但是始于魏晋之际的田猎之风，是无法回避的。南朝刘宋时，王僧达游猎可称为典型。他出任宣城太守时，肆意驰骋射猎，有时三五天都不回府，受理郡中诉讼居然在田猎的间隙进行。梁朝人曹景宗自幼爱好田猎，练得一身好功夫，据说，他每次与人田猎，总是要等到鹿马混在一起时，才发箭射之。大家都担心他会失手射中马腿，而结果往往是鹿应弦而倒毙，马却安然无恙。

如果田猎只是少数人的游戏，那么射艺则是魏晋时代"全民健身活动"的保留项目。从三国时代开始，由于社会动荡，骑马射箭之技就颇受重视。这或许可以一直追溯到春秋战国之际赵武灵王"胡服骑射"的大胆改革，史载"好弓马，于今不衰，逐禽辄十里，驰射常百步，日多体健，心每不厌"。可见，当时之人不仅视骑射为戎旅之技艺，也是一种健身手段。

魏晋之际的骑射流行，应该同少数民族入中原后，继续保持了游牧部落的生活传统有很大关系，比如，北魏为了推行骑射活动，每年举行"九日马射"活动，以至于形成了"敕畿内太守皆赴京师"观看的宏大场景。特别值得一提的是，"敕京师妇女悉赴观，不赴者罪以军法"，这一规定或许过于严格了，但正是在这样的大环境下，才引发了独特的妇女尚武的时代精神。

强身健体的美好愿望之所以在魏晋之际变得尤为强烈，与时代背景是密不可分的。这不仅是因为时代的黑暗使人们总是存在朝不保夕的焦虑，现实缺乏也成为人们渴望得到的，于是各种养生之术广为流行。另一方面，东汉末年形成的道教，其主要的中心就是倡导吐纳导引，鼓吹补导术，以求长生不老、肉身成仙。

玄道之学可以说就是在这样一种氛围中发展流行开去的。魏晋名士无不是养生之术的忠实爱好者，最具有代表性的恐怕就是嵇康了。他"常好老庄"，"常修养性服食之事"，还完成了《养生论》一篇来宣扬自己的观点。

正是在社会大兴"养生之道"的背景之下，出现了许多旨在保健的体育活动，比如五禽戏、导引等。

据说，五禽戏是三国时代的名医华佗所创，它是模仿虎、鹿、熊、猿、鸟五种禽兽的动作设计的一套医疗保健体操。华佗认为，虎戏可以强壮四肢，鹿戏得以活动经络，熊戏能够增长力气，猿戏则可以让手脚灵活，鸟戏使动作敏捷轻快。相传，华佗的弟子吴普谨遵师傅的教导，每天坚持练习，到九十余岁的时候，仍然耳目聪明，牙齿完整。

与五禽戏有异曲同工之妙的应该算导引之术。导引也是一种保健体操，它所遵循的原则就是"导气令和，引体令柔"。而这后一原则同五禽戏的原理颇为相似。不过，由于导引之术早在《庄子》中就有提及，所以包含了浓厚的道家成仙之说，在这个层面看来，导引之术的理论基础要比五禽戏更具有说服力。

陶弘景可以说是导引之术集大成者的理论家。他的《养生延命录》和《导引养生图》全面而系统地阐释了养生理论，保存了大量古代导引养生的资料。陶氏在书中提及的一个重要内容是所谓"闭气纳息"之法，"纳气有一，吐气有六。纳气一者，谓吸也；吐气六者，谓吹、呼、唏、呵、嘘、呬，皆出气也"，"委曲治病，吹以去热，呼以去风，唏以去烦，呵以下气，嘘以散滞，呬以解极"。

流行于秦汉时的蹴鞠、射箭等在此时更加普及，而且像"投壶"这类原属礼仪范畴的也转变为民间游戏，参与的大众化使得投壶的技巧也发展起来。以前，壶中装有一定数量的小豆，以防止投入壶中的箭跃出，后来，人们用竹箭代替木箭，以增加箭的弹性，让游戏更增添了乐趣。原来，箭弹性增大后，有可能会跃出来，回到手中，这就叫"骁"，据说，投壶的高手可以用一支箭实现一百次骁。

作为礼仪的投壶游戏是同罚酒联系在一起的。按规定，若连投四支不中，就要罚酒了，最后的胜负以中壶多少决定。但与此同时，投壶与游宴欢娱联系在一起，是它进一步娱乐化的表现。

生活习俗

魏晋南北朝时期由于受到玄风影响，无论是在社会的上层还是下层，都产生了有别于以往的生活方式。尤其重要的是，由于胡汉两种文化具有不同的生活习俗，它们在整合过程中不断进行着相互适应的交互作用，从而使人们的日常生活具有了更加丰富的内容。生活方式的改变当然也给传统、民族、地域文化以深刻的心理刺激和更移，促使思想观念产生变异而追求更加完美的生活情态，也为当时的生活带来了崭新的风貌。

魏晋之际的人们已懂得丝制的精雅，而且他们关于衣服所体现的等级差别的规定，其繁琐的程度无以复加，比如最简单的帽子，他们也要弄出一套最复杂的礼仪制度来。

当时帽子的名目繁多，帝王将相的冠冕自不必说了，不同身份、不同职业的人都有规定的帽子，是断然不能弄错的。通天冠是皇帝在朝会时戴的冠饰，进贤冠则是文职官员的帽子，武官还有专门的武冠，至于其他官员，则按照他们的等级有高山冠、法冠、长冠、笼冠等等，不胜枚举。

　　魏晋之际的平头百姓显然是无法理解种类繁多的帽子与身份的联系的，他们没有必要在生活中用帽子来装点身份，于是采取了最简单的方式，用一块布包裹头发，仅此而已，这就是"巾"。其实，在冠出现以前，"巾"不分贵贱地为人们频繁使用，后来才逐渐成为士大夫以外的庶人所用的头饰。

　　不过，魏晋之际的文人总是无法放下崇尚自由的梦想，对政治的厌恶以及对隐修生活向往的旨趣，也在选择服饰的时候表现出来。正是由于"巾"成为大众化的装束，它也成为是否出仕的标志了，隐士们都乐意戴巾来表示自己非官员的身份，并以此为豪。

西魏加彩武官陶俑和陶风帽俑

东晋著名隐士陶渊明时常着巾，一次郡太守去看他，正赶上他所酿的酒熟了，他取下头巾就来滤酒，之后又重新戴上，可见当时名士的放达作风了。

魏晋南北朝的文人在"越名教而任自然"的风尚影响下，穿着偏爱宽大、舒适和飘逸的衣衫，就是迥然有异于前朝的了。考古资料为我们留下了许多可资查对的形象，南京西善板发现的南朝大墓出土的《竹林七贤与荣启期》壁画中，竹林七贤均穿着宽畅的衣衫，敞开衣领，袒胸露背。唐代画家孙位的《七贤图》中，玄学领袖们也是宽袍大袖，袒露上身。这种衣服的款式应该是与七贤的玄远气质完美地结合在一起的。

鲁迅曾在《魏晋风度及文章与药及酒的关系》一文中分析了魏晋名士流行轻裘缓带宽衣的原因，说是因为当时的人喜欢吃酒喝药的缘故。"因为皮肉发烧之故，不能穿窄衣。为预防皮肤被衣服擦伤，就非穿宽大的衣服不可……更因皮肤易破，不能穿新的而宜于穿旧的，衣服便不能常洗，因不洗，便多虱。所以在文章上，虱子的地位

蒸馍烙饼图

很高，'扪虱而谈'，当时竟传为美事。"这种有意思的分析，似乎是很有道理的。

两晋时期有不少世家大族的纨绔子弟在衣着穿戴上更是刻意追求新奇的款式。他们斜簪散髻，宽衣博带，脸上抹粉施朱，足登高屐高履，腰间系着香囊。无所事事的他们往往三五成群，在街上招摇过市，望之有如神仙。

民以食为天，这条古训似乎尽显中国文化特色。精通饮食之道的中国人，不仅开发出独具风格的食品加工与制作方法，而且让"吃"这种最根本的人性欲求上升到了文化的高度。大多数中国传统节日都同"吃"有直接的关联，这应该不是一个很偶然的巧合吧。

地域上的幅员辽阔往往能够成就饮食的多样性，比如北方食麦，南方食稻就是地域差异带来的饮食习惯的不同。这主要是由于南北方的土壤、日照等自然条件决定的。不过，虽然北方产麦多于产稻，面食盛过南方，但是南北方都不约而同地视米饭为贵。《晋书》上说，石崇的餐桌上往往要摆放米饭来显示自己的富足与豪奢。

上层阶级在饮食上的排场奢华，自然是不争的事实。西晋时的元老重臣何曾，每天用于饮食的费用在一万钱之上，还总是觉得没有下筷子的地方。而对于那些每日为糊口奔波的普通百姓而言，能够填饱肚皮就是最好的享受了，因此，尽管人们当时视米饭为贵，但大多数人只能以麦饭蔬食果腹，才不去管食用粗食粟饭是否是掉价的表现。

不过，米饭毕竟味道更加鲜美，只是价格更加昂贵，普通百姓的折中选择就是煮米粥，在节俭的清贫之家，更是常见。于是乎，为父母守丧者也饮粥表示哀悼。在灾荒之年，米粥也是政府赈济灾民的主要食物。

一个有趣的现象是魏晋之际人们的素食主义。西晋潘岳的《闲居赋》有云："灌园鬻蔬，供朝夕之膳；牧羊酤酪，俟伏腊之费。"表明当时的人们普遍遵循平日吃素，过年过节才吃肉的习惯。即使在招待亲友宾客的时候，若非过节，也不会有大鱼大肉上桌。这种以粮食和蔬菜为主的素食结构，应该是同当时以农耕为主的生产方式联系在一起的。不过，正如潘岳所云，素食习惯应当也是追求田园风光的隐修之士的养生之道。

当然，素食主义并不排斥鱼肉在饮食中的地位。特别在南北朝的时候，由于胡汉融合，胡族的饮食习惯传入中原，也改变了人们的口味。胡人逐草木而居的游牧方式使他们喜食乳酪。这种口味影响到了中原的人们，乳酪也成为汉人广泛流行的副食。《齐民要术》中还介绍了一种羌族人菜肴的制作方法——"羌煮貊炙"。"羌煮"是仿照羌人将精选的鹿肉煮熟后切成块，蘸着各种调料制成的浓汁吃。"貊炙"就是貊人发明的烤乳猪，做法是用火慢烤，一边烤，一边往上洒酒抹油。烤熟的乳猪色泽鲜丽，呈琥珀色，入口即化，汁多肉润，是上等美味。

屯垦画像砖

魏晋南北朝是士族形成发展的时期，这个注定在中国历史上扮演重要角色的阶层，在居所上也印上了自己的痕迹——士族庄园。士族庄园是政治、经济特权与隐逸文化相结合的产物。

豪门大户多选择风景秀丽处建设自己的独门山庄，以借自然地势求工取巧，实现返璞归真的美好愿望。实际上，远离政治斗争的漩涡，一直是魏晋名士的理想，隐居山林或者纵情山水，都是他们选择逃避的一种手段，而抱定"近水楼台先得月"的初衷，建造属于自己的庄园，则是最必然的结局。

由于建筑格局的改变和优化，起居用具也有了明显的发展，最具特色的是胡床的发展与流行。胡床早在东汉后期就从西域传入中原，因其轻巧实用、携带方便而普遍流行开来。胡床基本上相当于现在的马扎，四足成对交叉而上有横木，横木列窍以穿绳条，可以折叠。胡床流行的一个重要影响是改变了中原人的坐姿，因为胡床面积小，且用绳子穿成，人在其上无法保持传统的跪坐，于是开始垂足而坐。这也为后来靠背椅以及扶手椅子的发展提供了契机。

魏晋婚姻的一个显著特征就是强调婚姻的等级性。因为豪门士族的相对封闭性，他们对婚姻近乎变态地强调门当户对。这样做，当然是为了保证士族的纯洁性，然而也带来了许多恶果。一个在生物遗传学意义上的恶果就是士族过分追求门当户对而引发的近亲结婚和婚姻不计辈份。近亲婚以及异辈婚本来是受到限制的，儒家传统中一直存在"同姓不蕃"和"蒸报不伦"的限制。所谓"蒸报不伦"，即父死后子娶庶母为"蒸"，兄、叔死后弟、侄娶嫂、婶为"报"，显然是乱伦。不过，这种病态的婚姻形式由于士族对自身血缘纯洁性的强调而变得合理，并相当流行。生物学上的忌讳并不会因为士族的这种畸形想法而稍微减轻。高门士族在南北朝后期"肤脆骨柔，不堪行步，体羸气弱，不耐寒暑"，则是他们自己酿成的苦果。

当然，并不能说魏晋之际的婚姻没有一点积极意义，同样是由于儒术的独尊地位被冲垮，引发的一个后果是婚姻的相对自由，"不齿淫泆之过"的时代已然过去，而开启了择偶相对自由，不全由父母包办的新时代。当然，这种相对的自由一般在庶族婚姻之中更加常见，《世说新语》中曾有记载，王湛"少无婚，自求赫普女"，后来父亲尊重了他的选择。

另一个可以说明婚姻自由的方面是对离婚与改嫁的限制减少。从汉朝开始，由于儒家的独尊，对妇女的限制极其严苛，结婚必须秉承父兄之命，媒妁之言。离婚对男方来说，不是"离"，而是"休"；对女方来说，则只能"不二天"，寡妇改嫁被认为是大逆不道的。而魏晋之际，妇女地位有了一些改善，她们开始摆脱父权的压迫，在婚姻上争取到了许多自由，改嫁、离婚之风时或有之。《晋书》更是记载了一个勇于选择自己向往的生活方式的妇女形象，据载，晋人王欢安贫乐道，专精耽学，不营产业，"其妻患之，或焚其书而求改嫁"。这种妇女形象能够在魏晋时期的史籍中出现，应该不是偶然的。

值得一提的是南北朝时北朝的婚姻特点。由于北朝是少数民族鲜卑统治的朝代，在婚姻制度上，既有魏晋的遗风，又受到了鲜卑风俗的浸染，与南朝在婚姻上的相同之处是早婚现象严重。这或许可以追溯到鲜卑民族一直推行的同姓相婚的习俗。

北朝婚姻的一个独特之处是买卖婚姻盛行，也就是财婚。颜之推评论说："近世嫁娶，遂有卖女纳财，买妇输绢，计量父祖，计较锱铢，责多还少，市井无异。"颜之推身在北朝，这段评论应该是他自己观察到的社会现实的真实写照，可见北朝买卖婚姻不是个别现象。财婚本是鲜卑人的风俗，后来影响到了汉人。到孝文帝施行汉化政策时，提倡鲜卑人与汉人通婚，嫁娶论财之风更加严重。

少数民族的社会生活

胡汉融合是魏晋南北朝这四百多年历史的一个主题。在这个时期，匈奴、羯、氐、羌、鲜卑（即所谓"五胡"）等少数民族相继入主中原，与汉族经历了由激烈冲突到逐渐融合的复杂过程。在双方的磨合中，汉文化因为少数民族文化的注入获得了新鲜血液，少数民族文化的传统也得以以一种新的形式保留下来，这确乎是一个互惠互利的过程！

少数民族的服饰是很有特色的。

《史记·匈奴列传》载战国时赵武灵王推行"胡服骑射"，王国维先生《胡服考》一文谓胡服之入中国肇始于此。王国维先生谓胡服为上褶下绔之式，即上身类似于袍，其长度大者至膝，小者较膝为短；下身类似于套裤，为左右两条裤筒。显然，套裤是游牧的匈奴为了骑马方便设计的服饰。匈奴人经常使用腰带，腰带又以带钩及带扣括结，这从许多汉、晋匈奴墓葬出土的文物中可以看到当时的形象。

至于服装的原料，氐族人很早就开始使用织品了。《后汉书》曾经讲到了广汉西部"土地险阻，有麻田，出名马、牛、羊、漆、蜜"。由氐人"有麻田"的情节可知，他们的织品中应包括麻布，而鲜卑人则对汉族服饰的丝织品有普遍排斥的态度，或许是他们更加倾向于"因地制宜"的选材，所以更加钟情于野兽皮毛制作的衣服。毫无疑问，对于游牧的鲜卑部族而言，羊皮绔一类的服饰来得更加直接，而且这样的衣服更加暖和，是抵御严寒的最佳选择了。

另外，鲜卑人长期有"辫发"习惯，汉人鄙称之为"索虏"。鲜卑人又有袒裸之俗，不过这同魏晋名士酒后袒胸露乳的举止还并不完全相同，对后者而言，不过是偶然为之的怪诞之举，为的是反对名教。鲜卑人的袒裸，则是长期流传的习惯，即使是鲜卑皇室贵族，时或亦不免故态复萌。《北齐书》中就讲到，魏孝武帝经常"袒露与近臣戏狎"。

胡族多是游牧生活，这决定了他们的饮食结构多以牲畜的肉以及奶制品为主，从营养学的角度讲，这样的食物结构能够给身体提供大量的热量，是少数民族具有良好身体素质的物质前提。实际上，畜牧业在胡人的生产和生活中始终占据重要位置，他们豢养的牲畜之中，牛、马、驴、骡可以用于耕作和运输，也可以食用，而猪、羊更是主要的肉食来源。

不过，史书的记载让我们看到了氐人另外一种生活状态。《魏略》说氐人"善田种"，还说："地植九谷……种桑麻，出绢布漆蜡椒。"尽管我们尚不完全清楚

"九谷"的名称，但可以肯定的是，魏晋以降的氐人"田种"的种类颇多，而所谓"九谷"，无疑也是他们的基本食物。

少数民族的烹饪方法也透露出豪放的气质来，据《太平御览》的记载："羌胡见客，炙肉未熟，人人长跪前割之，血流指间……不秽贱之。"

羌人的豪饮也是出了名的，王子年《拾遗记》中提到了西晋武帝时，有一位九十八岁的羌叟，嗜酒如命，人称"渴羌"，这应该是魏晋之际羌人纵酒性格的一个生动例子。

作为游牧的部族，五胡给人一种野蛮剽悍的印象，实际情况也确实如此。能征善战的匈奴人崇尚武力，人人皆长于骑射，以武勇著称。比如史载石勒"壮健有胆力，雄武好骑射"，其子石虎也是"捷便弓马，勇冠当时"。

少数民族这种孔武有力的气质，同他们艰苦的生活条件以及饮食习惯是密切相关的。恶劣的生活环境锻炼着胡族适应自然的能力，同时也提升了人们的身体条件。比如羌人，他们长年生活在寒冷的西北地区，因而大多"堪耐寒苦"，甚至于"妇人产子，亦不避风雪"，几乎是让他们的后代从出生的那个时刻起就接受着最严酷的生存挑战，当然会锻造出坚毅的品质。

隋

国运多舛

公元581年2月，身为北周辅政大臣的杨坚迫使年轻的周静帝让位，自立为帝，从此拉开了一个王朝的序幕。因杨坚曾官居隋国公，故改国号为隋，年号开皇，建都长安，他就是隋朝的开国皇帝隋文帝。公元588年，文帝派兵攻占南朝的最后一个朝代后陈的都城建业，宣布了南朝的灭亡。至此，自西晋末年以来持续了二百七十多年的分裂、对峙的局面终于结束。

隋王朝是中国历史上第二个，也是最后一个两世而亡的朝代，它与另一个两世而亡的朝代秦相比，的确有许多相似之处。首先，隋与秦都是凭借强大的武力统一分裂多年的中国，而紧接着完成一系列改革，使经济得以发展。与此同时，又对人民大施徭役，致使民不聊生，终于使政权毁于一旦。然而，也正是凭借此时国家对物资财富丰盈的积累，为后世的发展创造了良好的物质条件，从而带来了隋之后中华民族引以为骄傲的盛唐文化。

昙花一现间的耀眼光芒

隋文帝统一全国后，果断地进行了一系列的政治、经济等方面的社会改革，巩固了隋朝的统治。文帝在位二十四年，可以说是一位励精图治的君主，他勤于政事，提倡节俭，"每旦听朝，日昃忘倦，居处服玩，务存节俭，令行禁止，上下化之"。在他的带动下，节俭成为

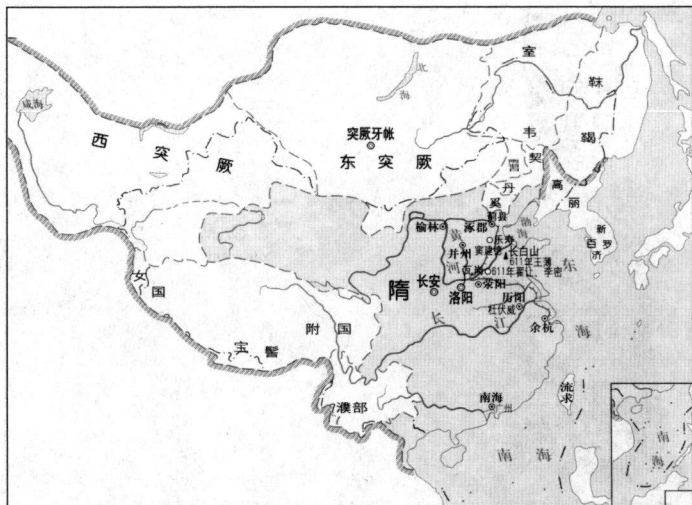

隋时期全图

一种社会风气，从而使社会财富得以迅速积累。他赏罚严明，惩赃不贷。在隋文帝的治理下，隋王朝很快强盛起来，先后征服了西北的突厥和东北的高丽，一个多民族的统一的封建大帝国又重新建立起来，其中央集权制度和思想文化政策也比前代更加进步。

隋文帝于公元601年改年号为仁寿。仁寿四年（604），六十三岁的杨坚卒于仁寿宫（后世有记载称杨坚是被其子杨广指使心腹张衡入宫行刺而亡）。

文帝死后，翌日其子杨广即位，年号大业，是为隋炀帝，他是中国历史上有名的暴君。他即位后，就开始大兴土木，为自己建造奢侈豪华的宫殿，开凿大运河为自己享用。为了扩大其统治，他还不断向外扩张。炀帝于大业

隋代文官俑

杨坚画像

十二年至大业十四年（616～618）三次东征高丽，但都以失败而告终。连年的征战和暴政致使隋朝的国力大大削弱，人民的生活得不到保障。于是，全国各地人民纷纷揭竿而起，其中势力较大的有：瓦岗山的翟让、河北的窦建德、江淮地区的杜伏威等人。故而隋朝后期，炀帝不得不四处攘乱，但终究大势已去。公元618年3月，隋将司马德戡、宇文化及乘"骁果军"骚动的机会，在江都发动兵变，勒死了残暴的隋炀帝。从而结束了隋王朝短暂的统治。

隋是一个承前启后的朝代，文帝与炀帝共在位三十八年，在这三十八年中，中国的政治、经济、军事、文化等各方面均得到巩固和发展。首先，在政治方面，隋朝调整了中央与地方的统治机构，废去了北周的中央职官，模仿《周礼》所置的六官确立了三省六部制度，增强了中央集权统治；地方职官实行州、县两级制。通过制定《隋律》稳定了社会秩序。其次，隋朝实行了科举制度，为以后中国封建社会的人才选拔方式提供了一个蓝本。另外，在经济方面，文帝下令整顿户籍，清查人口，继而推行均田制、租庸调制，减轻刑罚和徭赋。与此同时，为了恢复农业生产和加强漕运力量，于开皇四年（584）开"广通渠"引渭水直达潼关，后炀帝大业四年（608）又开"永济渠"引沁水南通黄河，自辉县至涿郡，长达两千余里，这就是现在的京杭大运河。此外，由于隋朝以前连年的战乱，各朝没有统一的币制和度量衡，这极大地影响了市场商品的交易与流通。因而，隋朝建立以后首先宣布禁用旧钱，统一发行合乎规格的"五铢钱"，严惩私铸钱币。同时还规定了标准的铜斗铁尺，颁行全国。这样一来，为经济的持续、稳定增长创造了良好条件。

在工程建筑方面，最突出的成就莫过于河北赵县安济桥的兴建。因赵县在古代称做赵州，所以安济桥又称赵州桥。赵州桥建于隋大业年间（605~618），由著名工匠李春主持设计建造，全长约64.4米，圆弧长50.82米，宽9.6米，石拱跨度37.02米，是一座全部用石料建造，由28道独立拱券组成的单孔弧形大桥。桥的每道拱券都自成一

赵州桥

体，这既保证了桥的整体安全，又便于局部施工修理。为了保证这些平行的拱券排列紧密坚固，设计者又采取了三项加固措施，首先将桥面的宽度中间逐渐减少，以使两侧各道拱券都微微向内倾斜，为使各券之间相互勾连，在拱券面上还用横向的石板加枕，在券和枕之间又加若干横向铁条把各券拉在一起。可见李春在拱桥建造工艺上费了不少心思进行革新创造。赵州桥是我国古代跨度最大的单孔桥，但它的桥面坡度却十分低缓，这当然和设计者的独具匠心分不开，在此之前，我国石拱桥高度与跨度的比一般为1:3，为了利于车马通行，李春等匠师把比例改为1:5，即从拱顶至拱脚仅高7.23米，而拱券跨度达37米多，使桥面几乎没有坡度，整座桥看上去轻盈利落，简洁明快。李春等工匠还在大桥洞顶左右两边拱肩里各砌了两个圆形小拱，用以加速排洪、减少桥身重量和节省

赵州桥栏杆雕刻

石料，这在建桥史上还是第一次。桥面两边的栏板望柱上还雕有各种精美图案，其图案以龙头、怪兽和波浪花纹为主题，刀法苍劲，造型生动，代表了隋代雕刻艺术的水平。在结构上，赵州桥的弧形平拱和敞肩小拱给人一种巨身轻灵、跃跃欲飞的动感。雕刻线条刚劲之中透着柔和，稳重之中还显轻灵，雄伟之中包含隽永。在主拱顶上有雕着龙头的龙门石一块，桥侧还有八瓣莲花的仰天石点缀着。这些雕像，寄寓着大桥不受水害，长存永安的愿望。赵州桥在中外桥梁史上占有十分重要的地位，对我国后代的桥梁建筑有着深远的影响。其"敞肩拱"的运用，为世界桥梁史上的首创。赵州桥结构合理、外型秀丽，富有民族风格，素有"奇巧固护，甲于天下"的美誉。

隋代在绘画、音乐、舞蹈等方面也涌现出了一大批杰出的代表人物。在绘画方面，展子虔、董伯仁、郑法士、田僧亮、杨契丹、孙尚子、尉迟跋质那等人都是当时的著名画家。他们各有所长，杨契丹擅长"朝廷簪组"，董伯仁擅长"台阁",展子虔擅长"车马""山水",孙尚子不仅擅长"美人魑魅",而且"善为战笔,甚有气力"。他们大多继承了前代的传统,更多地受到顾恺之的影响。尉迟跋质那来自新疆的于阗,善画外国佛像。

展子虔是隋代山水画史上的第一人。当时的绘画仍以道释人物故事为中心,但山水画已逐渐发展成独立的画科。

展子虔(550~604),渤海(今山东阳信)人,历经北齐、北周、隋三个朝代,曾任周朝散大夫、隋帐内都督等职。工于绘画,创作范围较广,被唐代张彦远称为是"触物留情,备皆妙绝"的无所不能的画家,善画佛道、鞍马、宫苑、翎毛、历史故事等,尤长于山水,他的绢本《游春图》是现存最早的山水画卷。

展子虔曾在洛阳、扬州及浙江等地的寺观中创作了许多壁画,所绘物象生动而富情趣。他在绘画上善于创新,画人物善用紧密的线条和浓淡的晕染色彩来表现对象的性格特征和神态形貌,达到了"神采如生、意度具足"的境地。就连绘画艺术成就极高的宋徽宗赵佶也赞扬他"凡人所难写之状,子虔独易之"。展子虔画马尤其注重描绘马的动态,"立马有走势""卧马有腾骧起跃势"。

展子虔在中国美术史上影响最大的是山水画,他的特点是善于表现自然山水深远的空间感。他在山水画上的成就及其绘画方法,直接开启了唐代画家李思训、李昭道父

隋代麦积山大佛

子金碧山水的先河。《宣和画谱》评其山水画为："善画台阁，写江山远近之势尤工，有咫尺千里之趣。"

《游春图》是展子虔仅存的一幅山水画，它处于出现山水题材以来，一直以青绿着色的不成熟的青绿山水画向成熟的李思训父子的金碧山水画转化的关键地位。《游春图》表现了贵族游春的主题，以抒情而又近似记实的手段展示了祖国江山的美丽和贵族生活的优雅舒适。全图用鸟瞰方式遥摄景物，画面山形耸峙，水波浩淼，祥云涌动，屋宇错落，桃李盛开，新绿成荫，一派草长莺飞、欣欣向荣的景象。游春的男女则纷纷涌向山间水湄，他们有的骑马伫立水滨，有的乘船泛于水中，有的在岸上迟疑不进，有的望春波翘首待渡。山深水阔之间，四散的游人与山水的境界交相辉映，都沉浸在明媚的春意之中，融洽而又和谐。自然与人物，树木与山水，组成了一幅和谐蓬勃的图画。画中的山、树、人物、波纹、屋宇，都用细线画成，轮廓准确优美。画中色彩的使用，因为要强调春山、春树的青绿，故而形成一种特有的风格，被人称为"青绿法"，由于画面效果金碧辉煌，其画法遂为后世发展为"金碧山水"。画面整体上以大对角线构图，青山和坡岸的对峙与开阔、春水的自右下向左上流动、右上斜角的实则虚之与左下斜角的虚则实之，变化多端，激活了潜藏在山水和山水画之间的生命力，情调委婉丰富，咫尺之内，却备千里之趣。明代鉴赏家詹景凤在他的《东图玄览》中对这幅画的设色评价道："其山重着青绿，山脚则用泥金，山上小树林以赭石写干……此殆开青绿山水之源，似精而笔实草草，大抵涉于拙，未入于巧，盖创体而未大就……"《游春图》超越了六朝以前"人大于山，水不容泛"的山水草创阶段，将中国山水画的发展推向了一个新时期，展子虔也被后人称为"唐画之祖"。《宣和画谱》称赞他的绘画艺术道："写江山远近之势尤工，故咫尺有千里趣。"

在音乐方面，《新唐书·艺文志》载，"隋文帝始分雅、俗二部"。历经南北朝三百余年的战乱，天下礼乐崩坏，隋文帝立国后就锐意复兴礼乐，诏令太常卿牛弘等人增修雅乐。之后又调整五音，重新整理生成了古代汉族民间音乐"清商乐",后来又有了《七部乐》,这些都对唐朝的乐舞产生了影响。

在短短三十几年中,隋王朝恢复了几个世纪以来因割据纷乱几乎中断的对外关系,通过"丝绸之路"的商业往来,促进了中国与西亚的相互交流,为后世盛唐打下了一定的基础。随着对外关系的改善和交流的发展,当时的地理学也有了较大的发展,炀帝下令撰写的《区宇图志》共一千二百卷,是一部图文并茂的全国地理专著,在中国地理学发展史上占有相当重要的地位。

唐

恢宏壮美的世界舞台

　　隋朝末年，社会矛盾急剧激化，农民起义此起彼伏。借此之际，一些世家大族和官僚乘机扩张自己的势力，随时准备夺取隋朝政权。在这些官僚之中，最有名的就是李渊父子。

　　李渊本是隋朝太原道安抚大使、太原留守，手握重兵，在其子李世民的劝说之下，招兵买马，准备起兵反隋。为了免除后顾之忧，同时也为了取得突厥的支持，李渊派心腹刘文静出使突厥，甘愿称臣。准备就绪之后，李渊父子于大业十三年（617）在太原起兵反隋，很快攻入长安。李渊为取得百姓支持，下令取消炀帝苛法。公元618年，江都发生兵变，隋炀帝被部下杀死。两个月后，李渊在长安登基称帝，国号唐，建元武德，以长安为都城，盛极一时的唐帝国拉开了帷幕。

　　唐朝是中国文化发展的鼎盛时期，各种文化形式在唐代竞相绽放，达到空前的繁荣。唐文化以它恢宏壮美的气势、开放博大的胸怀、积极进取的精神，为世界文明创造了一个奇迹，对世界文化的发展产生了深远的影响，在世界文化史上写下了光辉灿烂的一页。

一、大幕开启

威震四方的天可汗

唐朝建立之后，天下并不稳定，当时在河北有窦建德的夏国、江淮有杜伏威等建立的吴国、河南有王世充建立的郑国、晋阳则被刘武周占领。经过多年的征战，李渊父子打败窦建德等人，最终统一了全国。唐高祖李渊在称帝之初，一切仍沿用隋朝旧制，全国统一之后才有所改变。武德九年（626）六月，李世民发动玄武门政变，杀死了自己的哥哥李建成和弟弟李元吉，逼迫李渊禅位，自己当上了皇帝，次年改元贞观，是为唐太宗，在位二十三年（627～649）。唐太宗登上皇位之后，注意吸收隋朝灭亡的教训，善于纳谏，任用贤人，进一步完善中央集权的政治体制。在他统治时期，政治比较清明，社会比较安定，生产也有了很大的发展，历史上把这段时期称为"贞观之治"。

　　为巩固政权，唐太宗进一步完善了隋朝的制度。第一，加强中央集权的官僚统治机构，进一步完善三省六部制。三省六部制经过魏晋南北朝时期的长期发展，到隋朝大体定型。在尚书、中书、门下三省之中，以尚书省的长官尚书令的地位最高，权最重，也常遭皇帝的猜忌，故自南北朝后期以来，往往付诸阙如。由于唐太宗在未即位之前曾任尚书令，此后尚书令虽存官名但不实授。高宗之后，为了防止大权旁落，皇帝常挑选一些低级的官员任宰相，进一步削弱了尚书省的权利。在地方上，仍然实行州县两级制，但是为加强对地方控制，唐太宗依据山川形势，把全国分为关内、

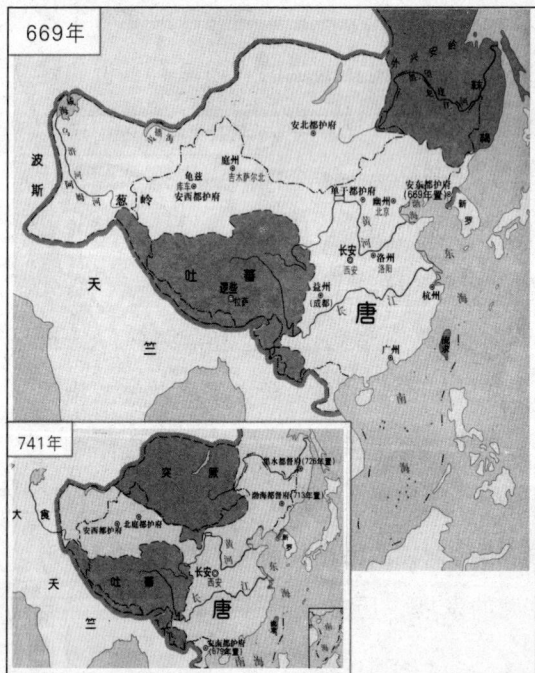

唐时期全图

李世民画像

河南、河东、河北、山南、陇右、淮南、江南、剑南、岭南十道。唐玄宗时期，又重新划分全国为十五道。道是监察机构，皇帝经常派巡察使、按察使等官员到各道、州、县检查吏治，对地方官实行监督。

第二，在军事上实行府兵制。府兵由军府所在地从"六品以下子孙及白丁无职役者"中挑选，每三年选拔一次；府兵的经常性任务是轮班到京师宿卫，称为"番上"；府兵在不执行任务时，进行生产活动，实行的是一种兵民合一的军事制度；唐代府兵的调遣由兵部掌握，地方官乃至中央十二卫都没有调兵的权利；战争期间，中央从各地调集军队，混合编制，将领则是临时委派，战事结束后"兵散于府，将归于朝"。将帅和士兵的这种临时结合，有利于防止将帅的专兵跋扈，从而有利于巩固中央集权制。

第三，制定法典。唐高祖时就下令制定《唐律》，唐太宗时完成，至高宗时期，又令长孙无忌撰写《唐律疏议》解释《唐律》条文，《唐律》的制定有利于社会的稳定，促进生产的发展。

第四，实行科举制和兴办学校，实行新的选官制度，为唐朝笼络了大批的人才，进一步打击了门阀大族的势力。

第五，修《氏族志》，使一些在朝做官的庶族地主也获得了士族的身份。通过这些措施，唐太宗为唐朝的强大奠定了一个坚实的政治基础。

太宗之后，宫廷虽然几易其主，但太宗的政策都延续

唐代彩绘武士俑

了下来。到唐玄宗时期，任用姚崇、张九龄等人为宰相，在他们的辅佐之下又进行了一系列改革，整顿吏治，发展农业。社会经济得到了长足的发展，社会出现前所未有的稳定局面，史称"开元盛世"。这样经过一个多世纪的积累，唐朝达到全盛时期，唐朝的政治、经济、文化都得到了前所未有的发展，国势十分强盛，声威远震，成为当时世界上最强大的帝国之一。

周边少数民族和许多国家都对唐朝心生仰慕之情，纷纷前来朝贡。同时，唐朝也用开明的政策来对待世界各国和各少数民族。唐朝初年，高祖李渊曾在未央宫置酒招待各个少数民族首领，席间突厥颉利可汗起舞而歌，南越酋长冯智代咏诗，李渊见此，高兴地说："胡越一家，自古未有也。"唐太宗对古代君王重汉族而轻视夷狄的做法颇不以为然，他曾说"自古皆贵中华，贱夷狄，朕独爱之如一，故其种落皆依朕如父母。"在唐朝开明的民族政策吸引下，各少数民族纷纷来附。公元630年，一些少数民族的首领到宫门前恳请唐太宗称"天可汗"，自此之后，唐朝皇帝就以"天可汗"的名义向西北诸少数民族发号施令。

唐朝前期由于经济得到极大发展，吏治清明，社会出现了前所未有的稳定局面，整个社会呈现出一种蓬勃向上的气象。唐朝不仅创造了一个政治上的全盛时期，同时在这种形势下，唐朝人对自己充满了自信，以开放的心态、博大的胸怀对待外来文化，又创造了一个文化全盛时期。

科举制——文官制度的缘起

科举制,是我国唐宋以后选拔官吏的一种考试制度,它源于两汉至南北朝时期的察举制度。它的产生有一个发展过程,大抵萌芽于南北朝,始于隋朝而成于唐朝。

在春秋时期,官职完全由世袭大族垄断。西汉武帝时期,正式建立察举制度,由皇帝临时下诏察举贤能。汉武帝又在京师设立太学,用考试的方式来选拔人才。但到了东汉后期,豪强大族控制了察举和辟诏,到魏晋时期更是发展到了九品中正制,门第又成为选拔官员的先决条件。南北朝以来,门阀士族衰落,察举制度重新得到重视,南朝和北朝都恢复了举秀才和举孝廉的制度。值得注意的是,察举征辟制中包括的某些科目如秀才、孝廉等,可以看做是分科考试的前身。在中国古代科举制的发展过程中,有两个关键性的发展阶段,自汉代察举征辟制中的策试到南北朝时期的九流常选,考试开始走向定期化,考试科目也在不断增加。至隋朝时,随进士科的设置,考试科目基本固定下来,科举考试也初具规模。当隋唐两个王朝的统治者登上历史舞台时,他们不仅掌握了变革任职制度的经验,而且也具备了进行这种变革的充分条件,科举制便应运而生了。

唐代礼宾图

　　唐朝初年，兵戈未宁，动乱频仍，科举制度还无法实行。及太宗即位，大肆招揽文士，科举制开始进入正常的轨道，经过高宗时期的完善，科举制度才正式形成。

　　唐代的科举考试可以分为两大类：一类是制举，一类是常举。制举是由皇帝亲自主持的临时性考试，以求非常之才。制举的科目多临时设置，平民子弟和官吏都可应试，但制举不常举行，每次录取的人数也不过一两人，多到五六人，因此在科举考试中并不占重要地位。所谓常举是定期举行、科目一定的考试，是科举考试中的重要部分。常举分为秀才、明经、进士、明法、明算、道举、童子等科，其中以明经和进士两科最为重要。常举制中以秀才一科等第最高，但是因为隋代秀才科特难，唐代受其影响对秀才的要求也很高，结果导致士人怯于应试，不久被废除。其他的杂色科目，如明算、明法等又为士人所耻，不屑于应试，使人对此也不热心。因此只有明经、进士两科成为唐代科举的主要科目。

　　明经科的考试分帖经和墨义，主要考考生的死记硬背的功夫，因此明经一科也逐渐被人瞧不起。甚至皇帝本人也对它语出嘲讽，唐太宗曾说："只念经疏，何异鹦鹉能言？"在唐玄宗时期明经考试又加试时务策，才使这种情况有了改变。进士科的考试有帖经、诗赋和时务策，尤其是以诗赋为主。因此在唐朝的科举考试中，中明经易，中进士难。中进士虽难，但及第之后容易飞黄腾达，被世人称为是"士林华选"，因此一些位极人臣的士人便认为"不由进士者，终为不美"。但由于进士录取的名额较少，一般只有百分之二左右的人能中；而明经的录取名额较多，一般大约有十分之二的人能中，所以明经仍是唐朝士人进入仕途的主要途径。

唐代文官俑

进士及第是士人一生中最关键的一步，多年的寒窗苦读，到此时终于有了眉目，可以扬眉吐气了。新科进士们总是陶醉在各种宴会的狂欢之中，公私个人都乐于为这种宴会慷慨解囊，使得京城有一部分人专门以筹办各种宴庆活动为职业，即所谓的"进士团"。进士及第之后一般要有参见宰相、向主司谢恩、同年集会等仪式。参见宰相又称"过堂"，先由进士团在大明宫内供帐备酒食，新进士们在此集合，等候宰相上堂。宰相到齐之后则由状元致词，状元因故不到则由第二名代替致词。致词之后，各人一一通报姓名，自我介绍。参见宰相之后，新科进士们还要向掌管贡举的吏部侍郎或其他知贡的官员谢恩。新科进士的集会，在主司的住宅附近，也是临时由进士团主办，院内供帐宴馔，豪华丰盛。进士及第之后，也仅是取得了出身的资格，还要经过吏部的关试，这才有了在吏部铨叙授官的资格。

关试之后，新科进士大宴于长安城东南的曲江亭，被称为"曲江宴"，这个宴会在各种公私宴会中最为盛大，甚至有时连皇帝也要参加。当此之时，新科进士们还要选出两名最年轻的为"两街探花郎"，也被称为"探花郎"，他们要骑马游遍长安的各大街名园，采尽早春名花。唐代诗人孟郊曾做过一篇写探花的名作，他写道："昔日龌龊不堪嗟，今朝放荡思无涯。春风得意马蹄疾，一日看尽长安花。"孟郊的这篇《登科后》逼真地写出了新科进士们的得意心态和对美好未来的憧憬。

各种宴会之后的"雁塔题名"对于新科进士来说也是莫大的荣耀,雁塔即今天西安的大雁塔,雁塔是当时长安城最高的建筑,可以俯瞰曲江。新科进士们登楼眺望,题名留念。白居易进士及第时年方二十九岁,他曾有诗描绘当时的情形,"慈恩塔下题名处,十七人中最少年"。

科举制度在唐朝的兴起对唐朝的政治、社会和文化都产生了深刻的影响。

首先,科举制在政治上打击了门阀士族的势力,开创了一种新的选官制度,使一部分有才华的寒门子弟得到了提升的机会,加强了中央集权制。第一次从制度上超越了门阀士族阶层,使庶族士人的势力迅速发展,为朝廷笼络了一批优秀的人才,使"上品无寒门,下品无士族""世胄蹑高位,英俊沉下僚"的局面得到了一定的改变。同时这些庶族士人更加容易控制,对中央集权的加强十分有利。唐太宗看到新科进士汇集榜下时曾得意地说:"天下英雄尽入我彀中矣!"科举制对政治的影响还有一个重要的方面,即开启了中国的文官制度,并为西方国家所效法,他们借鉴中国古代的科举制创立了近现代的公务员制度,这是中国对世界历史作出的一个巨大贡献。

其次,科举制也对中国的社会产生了深刻的影响,它使中国社会的流动性得到进一步的增强,从而有利于社会的稳定。从理论上来讲,只要是读书人,不论家世门第的高低,

唐代大雁塔进士题名帖

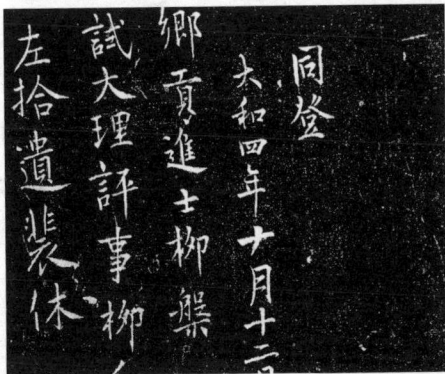

财产的多寡，都可以通过科举考试而上升到社会的上层。事实上当时许多庶族士人也正是通过这种途径进入仕途的，这在一定程度上缓和了社会的矛盾。科举制虽然使士人"其有老死于文场者，亦无所恨"，严重牢笼了士人的精神，但毋庸置疑，它对唐代社会的稳定起到了很大的作用。在这种稳定中，中国的经济和文化得到了进一步的发展。

最后，科举制也对唐代和唐以后的中国文化的发展产生了深远的影响，它直接促进了唐代诗歌和文学的繁荣。南宋严羽在《沧浪诗话·诗评》中指出："唐以诗取士，故多专门之学，我朝之诗所以不及也。"但反对这种说法的人也不少，他们的根据是在科场考试中的诗作佳作极少，杨慎在《升庵诗话》中说："诗之兴衰，系于人之才与学，不因上之所取也。唐人所取，五言八韵之律，今所传省题诗多不工，今传世者，非省题诗也。"杨慎说科场考试中的诗极少佳作，这并没有错，文学创作本应该是作者心中感情的自然流露，由上面命题在规定的时间内作完，多是临时拼凑，实难发自内心，实在是做不出好诗。事实也的确如此，在唐代的科场考试中并没有产生多少诗品佳作，但因此说唐代诗歌的繁荣与科举制度无关，也是不正确的。唐代科举制对诗歌文学的促进作用并不表现在科举考试的过程之中，而是表现在考场之外。唐代科举考试与后世不同的重要一点在于，唐代不实行糊名、誊录制度，因此考生的姓名、笔迹都明白地摆在卷面上，这就给了主考官在录取时"对人不对文"的自由，主考官可以根据自己对考生的了解独立决定。唐代科举制中还有一种制度是"通榜"，也就是说主考官可以考察举子在社会上的声望和德行，制成"榜贴"，以供考试录取时参考。主考官在很多情况下在考试之前就决定了及第的名额，因此在主考官的采访过程中，社会名流、文坛大家、达官贵人的推荐延誉就显得十分重要。为取得这些人的推荐，举子们必须东奔西跑，向他们"行卷"，即把自己平时所作诗文中最好的拿给这些社会名流去看。后世流传的许多唐代诗歌就是"行卷"时的作品。白居易当年就是用《赋得古原草送别》向当时长安名士顾祝行卷而声名大振的。科举制对唐诗的促进作用主要是这种直接的作用。另外，由于科举考试主要考诗赋，这与仕途紧密联系在一起，吸引了大批的士人全身投入到诗歌的创作之中。他们留心观察社会、生活和自然界中的一切人和物来求得灵感，这直接导致了优秀诗歌的出现。同时，这种科举考试是面向整个社会开放的，这使唐代诗歌创作的群体得到了壮大。由于科举考试扩大了文人的行踪，开阔了他们的视野，这对文人的创作也是多有裨益的。

二、唐代的外来文明

四方辐辏之地

唐代经济的繁荣、政治的稳定、文化的高度发展使唐朝在当时的世界上享有极高的声誉，成为世界东方的一个政治文化中心，各少数民族和各国对唐朝都心生仰慕之情，他们纷纷到中国来学习或经商，甚至进行传教活动。当时中国的长安、广州等大城市都是国际性的大都市，大量的外国人在这些城市中生活。用"四方辐辏之地"来形容此时的唐朝一点也不为过，唐朝已经成为亚非各国进行经济文化交流的一个中心。

唐朝之所以能成为一个世界文化交流的中心，除自身的强大和繁荣之外，还有以下几个因素是值得注意的。

首先，由于社会经济的发展，唐朝社会出现了一种蓬勃向上、欣欣向荣的新气象，人们自然地产生了一种为国家的强盛感到骄傲、对自己的国家充满了信心的民族自豪感，在这种心理作用下，唐朝人对外来的文化、风俗习惯和宗教信仰，更多的是充满了好奇之心，而不是对外来文

唐代六十一宾王像

化的恐惧。鲁迅先生对此曾经有一段精辟的论述，他说，"汉唐虽然也有边患，但魄力究竟雄大，人民具有不至于为异族奴隶的信心，或者竟毫未想到，绝不介怀"，"那时我们的祖先对于自己的文化抱有极坚强的把握，决不轻易动摇他们的自信心，同时对于别系文化抱有极恢廓的胸襟与极精严的抉择，决不轻易地崇拜或轻易地唾弃"。

其次，唐朝对外来文化的政策也是开放和开明的，这在政治上为各民族文化的交流提供了一个宽松的政策环境。唐高祖在武德五年（622）给高丽王武建的信中提出了"柔怀万国"的政策，其宗旨在于"申辑睦，敦聘好"。唐太宗更是表示出对华夷"独爱之如一"的气派。到开元盛世，唐玄宗更是气度恢宏地宣称要"开怀纳戎，张袖延狄"。唐朝政府还给来中国学习的外国人、各国派来的使者、各国商人等提供便利的条件，这些也吸引了大批的外国人来华。唐朝政府专门设置"鸿胪寺"来接待各国使节和宾客，并给予他们各种优待。当时，各国来华使者在唐朝期间和归国途中的资粮都由中国供给，并有定制。据《唐会要》记载："蕃国使入朝，其粮料各分等地给，南天竺、北天竺、波斯、大食等国使宜给六个月粮。尸利佛誓、真腊、诃陵等国使，给五个月粮。林邑国使，给三个月粮。"这自然吸引了大批的外国使者来华。同时，对于普通的来华外国人来说，他们可以享有宗教信仰的自由，甚至可以参加中国的科举考试，取得功名，在唐朝为官为相。

最后，唐代对外交通的发达则为中外文化的交流提供了一个必要的客观条件。当时不仅通往国外的陆路交通发达，海路交通也十分方便。陆路交通以长安为中心，北路经今蒙古地区到叶尼塞、鄂毕两河上游，往西达额尔齐斯河流域以西地区。西路经河西走廊，出敦煌的玉门关西行，经新疆境内，有三条道路可通中亚、西亚、巴基斯坦和印度，这就是著名的"丝绸之路"。西南路经西川到吐蕃，可达尼泊尔和印度，或经大理、缅甸到印度。往东经河北、辽河可到朝鲜半岛；海路交通，到日本有四条路，从登州、楚州、扬州和明州都可到达日本。从广州出发经越南海岸，穿过马六甲海峡到苏门答腊，由此分别到印度尼西亚的爪哇、斯里兰卡和印度。从广州出发，经东南亚越印度洋、阿拉伯海至波斯湾沿岸。

唐朝繁荣的经济、发达的文化、稳定的社会政治吸引了世界各国人民到中国来，唐朝统治者以恢宏的气度和开放的政策对待这些外来的文明，再加上唐朝海陆交通的发达，这些因素一起促进了中外文明的交流。

眼生迷离的域外宗教

唐朝繁荣稳定的社会局面，吸引了众多的外国人到中国来进行学习、经商等活动，随着他们的到来，各种宗教大量涌入中国，同时唐朝实行了比较开明的宗教政策，使这些宗教得以在中国传播和发展。在传播和发展的过程中，大都经历了一定程度的"中国化"的过程，他们的一些教义、礼仪和宗教术语不断地融入中国本地文化之中，从而成为中国文化的一部分。这些宗教主要有：祆教、摩尼教、景教和伊斯兰教。

祆教

祆教，又称拜火教、火祆教、波斯教或琐罗亚斯德教。祆教是古伊朗充满神秘色彩的一种宗教，相传在公元前六世纪左右由一个名叫琐罗亚斯德的人所创。该教独尊阿胡拉马兹达（善神，他从不行恶，是光明、公正、真理的象征），其余的神都是他的辅弼。该教相信，起初是阿胡拉马兹达创造了一个完美的世界，他是世界的造物主。但安格拉·曼纽（恶神，执掌着一切黑暗和罪恶势力，既凶恶又狡诈的一个神）侵入了善神创造的世界，使之成为一个善恶混杂的世界。在这个世界上包括人类在内的一切善的事物都在阿胡拉马兹达和诸神的领导下与恶神及其属下争战。在最后的一场决战中，救世主苏什扬特战胜一切邪恶，当出现弗拉舒克勒提（快乐世界）这一神圣的时刻，人类的灵魂将接受一次最后的审判，善的灵魂复活，恶的灵魂将坠入地狱。从此，人类世界开始进入分别之世，善与恶将永远分离。到那个时候世界将充满光明。琐罗亚斯德教导他的信徒们，在当今这个混杂之世，应当奉守"善思、善衍、善行"的道德教条，站在善神一边，战胜邪恶势力，这样在最后审判来临之时，才能够进入天堂。由于火是光明的象征，因此他们崇拜火，拜火教之名就来自于此。

琐罗亚斯德在其家乡传教之初，并没有多少人信奉，但在波斯萨珊王朝（226～641）时该教被奉为国教，祆教才开始盛行。祆教可能在北魏时传入中国，但比较广泛地流传则是在唐代。唐朝政府沿用隋制，设有专门的机构"萨宝府"来管理祆教，萨宝府的官员是"萨宝"。"萨宝"一词，是回鹘语，原意为商队首领。杜佑在《通典》卷四十《职官典》中记载："视流内：视正五品，萨宝；视从七品，萨宝府祆正。注云：武德四年（621），置祆祠及官，常有群胡奉事，取火咒诅。"在这一卷中还记载："视流外：勋品，萨宝府祆祝；四品，萨宝率府；五品，萨宝府史。" 唐朝的长安、洛阳、武威、敦煌等地都设有祆祠。据韦述《西京新记》记载，长安礼泉坊"十字街之东"有"波斯胡寺"，这是在当时波斯王的奏请下由皇帝亲批而建立的。另外，唐政府还规定各地的祆祠每年可按时祭奉两次，祭奉的时候十分热闹。据《朝野金载》记载，祆教在祭奉时"胡商祈福，烹猪羊。琵琶、鼓、笛，酣歌醉舞"，但唐朝信奉祆教的多是胡人，汉人信奉的极少。当时信奉祆教的少数民族有：鲜卑、突厥、蒙古、藏，还包括古代在我国居住的波斯人、粟特人。

祆教在唐朝前期得到了一定的发展，但是唐武宗时期展开了大规模的反佛教活动，祆教也跟着受到连累，祆祠大多被毁，信徒也多返俗。但是在波斯人和西域人中还有一部分人信仰祆教，一直到北宋，祆教还在一定范围内流行。

摩尼教

摩尼教，在中国也称明教、末尼教或明尊教。摩尼教是波斯人摩尼（216～276）在公元3世纪中叶创立的宗教，在今福建省晋江县的华表山的山崖上还有摩尼的雕塑。

摩尼教吸收了祆教、基督教、太阳神教等教的教义形成了自己的教义。该教创立之初在波斯广泛传播，但当时波斯的国教是祆教，摩尼教被定为异端，摩尼被处死。摩尼死后，摩尼教得到了进一步的传播，进入亚非拉的广大地区。摩尼教的基本教义是"二宗三际论"，所谓的"二宗"是指光明和黑暗两种对立的力量；"三际"是指二宗在过去、现在和未来三个阶段的发展中的力量对比情况。
摩尼教认为世界在开始时（初际），就有明暗两宗，光明
与黑暗两个王国虽互相对峙但互不侵犯。到了中际之时，
黑暗势力开始侵入光明王国，双方展开了生死搏斗，光明
国主神大明尊召唤生命之母，生命之母又召唤其子初人，
初人又召唤其诸子五明子，即清净气、妙风、明力、妙
水、妙火等与黑暗诸魔进行决斗。但在这次决斗中初人昏
倒，五明子被黑暗吞噬；于是，大明尊第二次召唤明友、
大般、静风等人制止了黑暗对光明王国的侵入，并救出了
初人，但五明子已经附在了五类魔的身上，无法分开。明
使静风把五明子和五类魔两种力量混合造成了世界，从战
死的暗魔身上挤出光明分子造成了日月，仍然受到暗魔污
染的分子形成了群星，暗魔的身体形成了天地和山川；大
明尊又发出了第三次召唤，召出了第三使，第三使则召出
了惠明使。这两个使者把光明和黑暗分不开的分子变成了
植物。恶魔吸收光明分子，按明使的形象做出了亚当和夏
娃，这就是人类的始祖。亚当和夏娃的肉体由黑暗分子组
成，灵魂由光明分子构成；大明尊作了第四次召唤，派明
使耶稣唤醒亚当，不与夏娃同居，但亚当后来忘掉本性，
与夏娃生了塞特，他的后裔便是人类。人类在躯体上是暗
魔的子孙，但灵魂却是由光明分子组成，所以人类面对着
把灵魂从肉体中拯救出来的问题。大明尊为此派出的使者
有很多，如琐罗亚斯德、佛陀、耶稣等，但最后一位使者

是摩尼，他将指导人类拯救自己。优秀的人在世界末日的时候将回到光明王国，相反则被葬入地狱。在后际之中，宇宙将复归初际的状态，黑暗将永远被囚禁在黑暗王国，光明王国不再受到黑暗的威胁。而现世的世界，是属于中际时代，黑暗和光明正进行着斗争，因此，人们要起来帮助光明战胜黑暗。摩尼教的教规十分严格，要求教徒不能嫁娶、不吃肉、不饮酒、不祭祖、死后薄葬，每年有四分之一的时间绝食，得病不服药。

摩尼教大约是在唐朝武则天延载元年（694）传入中国，据《佛祖统纪》记载，"波斯人拂多诞，持二宗经伪教来朝"。武则天召见了拂多诞，让他和僧徒辩论，武则天比较满意摩尼教的教义，准其在中国传教。得到朝廷的合法承认，摩尼教开始在中国传播，在长安和洛阳建立了摩尼教的寺院。但在开元二十年（732）之后，朝廷下诏禁绝摩尼教，理由是"诳惑黎元"。与此同时，又允许胡人自行信奉，诏令说"极为西胡师法，其徒自行，不得科罚"。也就是说摩尼教只准胡人信奉，汉人严禁信奉。中唐时，回鹘可汗在安史之乱中受到摩尼教法师的教化而改信摩尼教，还带回了四个摩尼教僧人，后来摩尼教逐渐成了回鹘的国教。又因其在唐朝平定安史之乱的战争中颇有功劳，受到唐朝的特殊待遇，摩尼教便借助回鹘势力，在中国更加流行。唐武宗时期，回鹘败亡，摩尼教也受到严重打击。各地的摩尼教寺院纷纷遭到关闭，财产被没收，并处死了一些摩尼教徒。但摩尼教并没有彻底禁绝，一直到宋代在中国民间还有流传。

景教

"景教"是唐朝人对基督教的一个支派"聂斯托利派"的一种称呼，它是指信奉公元5世纪君士坦丁堡大主教聂斯托利所倡导的教义的一个派别。

在君士坦丁大帝时期（308～337），基督教被正式定为罗马的国教，但教会中始终对于基督的"人性"和"神性"问题多有争论。在公元428至431年担任君士坦丁堡大主教的聂斯托利对这个问题持有他独到的见解，他主张称玛利亚为"基督之母"，他宣称："我把耶稣的神性和人

大秦景教流行中国碑

性分开，但在崇拜时又结合在一起。"但是，聂斯托利的这种解释被视为异端，聂斯托利被送到叙利亚，后又被放逐到阿拉伯，最后死在埃及的沙漠之中。聂斯托利死后他的信徒继续传播他的信条，主要是向东方发展，并传到了波斯。

景教传入中国的具体时间还很有争议，但是在公元1625年，"大秦景教流行中国碑"的出土为这一问题提供了有力的物证。这块黑色的石碑保存大体完好，刻字也比较清晰，高约十英尺，宽不到四英尺，厚约一英尺，重约两吨。碑头上飞云和莲台烘托着一个十字架，十字架上缠绕着一条无角之龙，左右两侧配着百合花。碑的正面刻有三十二行字，每行六十二个汉字，总共不到两千字。另外，这个碑上还刻了七十个景教僧人的名字，除了八个是汉字之外，其余都是叙利亚文和汉文相对照。据碑文记载，这篇碑文的作者是景静，书写的人是吕秀岩。碑文可分为两个部分，第一部分是序言，第二部分则是颂词。在序言中简单地介绍了景教的基本信仰，然后比较详细地介绍了景教在中国的发展过程。颂词部分则比较少，用韵文的形式再次叙述了序文的梗概。

根据景教碑的记载，大秦国的主教阿罗本在贞观九年（635）来到当时的唐都长安，受到了唐太宗的热情接待，唐太宗不仅派出宰相房玄龄摆仪仗队到长安西郊迎接阿罗本，还让阿罗本在皇帝的藏经楼里翻译圣经，并且在皇帝的内室中讨论福音的问题。三年之后，唐太宗下诏说："道无常名，圣无常体，随方设教，窨济群生。波斯僧阿罗本远将景教来献上京，详其教旨，元妙无为，生成立要，济物利人。"唐太宗下令准许景教在中国传授，并且由政府资助在长安义宁坊建造"大秦寺"。这些事实在唐代的一些文献中都得到了证实。从现有的记载来看，当时全国各地的波斯寺很多，"大秦景教流行中国碑"记载说"法流十道""寺满百城"，这虽有夸张的成分，但也反映了一定的事实。当时在长安除了义宁坊的波斯寺外，礼泉坊和布政坊也有波斯寺。景教在中国刚开始流行时，唐人还分不清景教与基督教的关系，因为阿罗本是从波斯来的，因此当时人们称他们是波斯僧，景教寺院被称为波斯寺，到了后来，唐人也慢慢认识到了这两者之间的关系，天宝四年（745），唐玄宗下诏说："波斯景教，出自大秦，传习而来，久行中国，爰初建寺，因以为名。将欲示人，必修其本。其两京波斯寺，宜改为大秦寺。天下诸府郡置者，亦准此。"于是，各地的景教寺都改名大秦寺。

　　景教在中国的传播得力于皇帝的支持。唐太宗派人到长安西郊迎接阿罗本，允其建寺度人为僧；高宗时特许景教在各州建寺院；玄宗开元年间，曾命令宁国等五王亲到景教寺院受洗，还给景寺题匾额；到肃宗时，景教僧人伊斯随回鹘、大食的军队来到中国，在唐将郭子仪的手下任职，得以和肃宗接近。据《大秦景教流行中国碑》记载，伊斯曾官至金紫光禄大夫，试殿中监的从三品官员。他向肃宗进言，重建了灵武等郡的景教寺院。代宗也很看重景教。在景教的信徒中有不少是汉人，他们大多都是官僚贵族，郭子仪就是一个景教徒。到了唐武宗会昌五年（845），景教与其他宗教一起遭到了禁绝，波斯的景教徒被迫到了广州，在广州形成了景教徒的聚集地。唐朝末年，黄巢攻入广州，屠杀了大量的景教徒，景教从此在中国绝迹。

伊斯兰教

公元7世纪，阿拉伯人穆罕默德（570~632）在阿拉伯半岛创立伊斯兰教，到公元8世纪时，伊斯兰教徒已遍及欧、亚、非三大洲，成为一个世界性的宗教。

伊斯兰教在何时传入中国还有很大的争论，但有一个普遍的看法是把公元651年大食派使者到中国朝贡看做是伊斯兰教正式传入中国的标志。在此之前，已经有了大批的大食商人来到中国。唐朝时期中国与大食的交往路线主要有两条，一是陆上的"丝绸之路"，另一条是海路，被称为海上"丝绸之路"。陆上丝绸之路，是从长安出发经过河西走廊，到达龟兹、碎叶、恒逻斯，然后到达波斯，从波斯再到大食。海上"丝绸之路"是指从广州出发，沿海岸向南航行，经过太平洋、印度洋，到达波斯湾，由两河口上溯到巴格达。中国和大食的联系主要是通过这条海道。唐朝时期有大批的阿拉伯人到达中国，他们分散在中国沿海和内地的广大地区，伊斯兰教也随着他们的到来而传到了中国内地和沿海的广大地区。他们的风俗和习惯受到了唐朝的尊重，这些人往往在城市中相聚而居，他们居住的地方被称为"蕃坊"，他们则被称为是"蕃客"，他们在中国娶妻生子，在中国就产生了"土生蕃客"，他们就是中国最早的穆斯林。

随着阿拉伯帝国的扩张，到了公元 8 世纪时，阿拉伯世界的阿拔斯王朝（750～1258）在今天中亚的地方已经和中国接壤，两国之间的关系更为密切，来华商人和使节就更多了。在这期间，唐朝和大食之间也发生了直接的军事冲突。天宝十年（751），安西节度使高仙芝因为石国没有对唐朝行朝贡之礼，率兵讨伐，石国向大食求救。于是唐朝和大食之间展开了激战，两军相持多日不分胜负，后来高仙芝的部将葛逻禄反叛，唐朝军队败绩。唐朝的一些士兵被俘虏到了大食，其中有一个叫杜环的唐朝士兵在大食住了十年，回到唐朝之后作了《经行记》一书，记载了他对阿拉伯更直接的观察和体会，中国人也通过这本书更加了解了伊斯兰教。安史之乱时，唐朝曾向大食借兵，据说大食国王派了"三千回兵"帮助唐朝平叛，事后这些士兵就在长安居住，唐朝赐给他们宅第，并为其修建清真寺，还准许他们娶中国妇女为妻。

唐朝时期，在中国的阿拉伯人之中，从事贸易活动的人最多。在当时的长安，唐朝对外国商人和侨居中国的外国人礼遇有嘉，给予他们多方面的照顾。在长安的西市和东市，大食商人的商店林立。据《资治通鉴》的记载，唐朝时期居留长安的外商就有四千多户，其中以阿拉伯人最多。唐朝时期，伊斯兰教在中国的传播也主要是在这些人之间。但拥有中国血统而信仰伊斯兰教的人几乎没有，因此伊斯兰教对汉族的影响是很微弱的。同时这些伊斯兰教徒只是把自己的这种宗教信仰内部的生活方式世代相传，并没有向外传教的野心，因此在唐武宗会昌年间打击佛教时，没有被牵连进去，伊斯兰教在中国得以保存。

祆教、摩尼教、景教和伊斯兰教等外来宗教传入中国，推动了中西文化的交流，更加丰富了唐朝文化，同时也使盛唐的文明传向西方，在宗教流传的过程中也带动了中西贸易的繁荣和文化的交流，当时的丝绸之路不仅是经济通道，还是文化和宗教的通道。这些宗教在传到中国之后，都经历了相当程度的中国化过程，他们很快都融合到中国的传统文化之中，成为中国文化的一部分，中国的文化由于有了外来的新因素的加入而显得更加博大精深。

三、诗歌的王国

四唐之划分

王国维在《宋元戏曲考序》中说："凡一代有一代之文学：楚之骚，汉之赋，六代之骈语，唐之诗，宋之词，元之曲，皆所谓一代之文学，而后世莫能及焉者也。"诗作为唐"一代之文学"，最为后人称道，诗歌在唐代得到了空前的发展和繁荣，现在仍流传在世的唐诗有四万九千余首，蜚声中外的诗人大量涌现，因此人们常说诗莫备于唐，诗莫胜于唐，唐诗成为古典诗的集大成者。鲁迅更是说，"我认为一切好诗，到唐已被作完"。鲁迅的话绝非虚言，它真实地反映了唐诗的繁荣景象。唐诗也是被历代所推崇的，明代胡应麟在《诗薮》中说："诗至于唐而格备，至于宋而体穷。故宋人不得不变而为词，元人不得不变而为曲。"这大体反映了历代文人对唐诗的看法。

唐代诗歌不仅名家荟萃，而且取材十分广泛，反映的社会内容也极为丰富，用"上穷碧落下黄泉"来形容一点也不过分，这也是唐诗的一大特点。上至天文，下至地理，应有尽有，从而全面反映了唐代社会生活的各个方面。因此，唐诗完全可以称得上是一幅唐代社会的风情画；唐诗的另外一个特点是，体制十分完备，形式也是多种多样，胡震亨曾经说到"诗之至唐，体大备矣"。唐朝诗歌在形式上已经大体包括了后世几乎所有的诗歌形式，唐朝以后诗的体制基本上没有什么新的发展，也没有什么大的突破，直到今天，唐诗的形式仍然是古典诗歌爱好者的至爱。在唐代形成了一种很浓厚的吟诗的习气，当时有"虽五尺童子亦吟诗"的说法，在这种氛围之中，诗人更是五花八门，来自社会各个阶层，上至皇帝，下至平民百姓。因此，唐诗的风格也是多种多样的，有的飘逸如仙，有的质朴厚重；有的雄浑悲壮，有的淡泊清远，可以称得上是风格繁盛，异彩纷呈，仪态万方。

唐代的诗歌在不同的时期有不同的特点，因此为了理清唐诗的发展脉络，有必要对唐朝诗歌的发展作一个大致的分期，但是对于唐诗的分期存在很大的分歧，有各种各样的说法，有三分法、四分法、五分法，甚至还有八分法的。在这里为了叙事的方便，采用通常的四唐分期法，把唐诗的发展过程分为初唐、盛唐、中唐和晚唐四个时期。

一般认为唐高祖武德年间到唐睿宗景云年间（618～711）的九十四年为初唐时期，这一时期是唐诗的第一个发展阶段。基本上是继承前代，并开创新的诗歌风气的时代。在此阶段，唐诗从宫廷诗向着古体诗和近体诗并重的方向发展，为后来唐诗的繁荣打下了基础。

从唐玄宗先天元年到天宝十四年（712～755）共四十四年的时间是盛唐时期，在这个时期，唐诗得到了空前的繁荣，是唐代诗歌发展的一个顶峰。这一时期的诗人生逢盛世，充满了生于盛世的自豪感，他们有一种十分积极的入世态度，因此他们的诗很有风骨，气势宏大，反映了盛唐的气象。

从唐肃宗至德初年到唐穆宗长庆年间（755～824）共历六十九年，被称为中唐。这个时期唐王朝经过安史之乱之后国势逐渐呈下降的趋势，边患日益严重。此时的诗歌仍然携着盛唐之势浩浩荡荡向前发展，但这时的诗歌与盛唐相比却多了几分沉实深刻。有人比喻说盛唐的诗是夏日的炎风，中唐的诗则是萧瑟的秋风。这种比喻比较确切地说出了盛唐和中唐诗在风格上的不同。

从唐敬宗宝历元年到唐昭宣帝天祐四年（825～907）为晚唐时期。这一时期唐朝处于衰落时期，反映在诗歌上就是揭露社会弊端，出现了大量的咏史怀古之作，并且在形式和雕琢上下很大的功夫，但并没有太大的气势。

宫廷诗和初唐四杰及诗歌的转型

初唐的九十多年是唐代诗歌突破宫廷诗的束缚而获得新发展的阶段，这一时期的诗人也逐渐从宫廷中走了出来，开始关注社会生活，所以说初唐是一个承前启后的时期。

唐朝刚刚建立之后，诗还主要是宫廷诗，基本上还是陈、隋的余风。闻一多先生对此曾有一段论述，他说："宫体诗就是宫廷的，或以宫廷为中心的艳情诗，它是个有历史性的名词，所以严格地讲，宫体诗又当指以梁简帝为太子时的东宫及陈后主、隋炀帝、唐太宗等几个宫廷为中心的艳情诗。"唐朝时期的宫廷诗人大多是前朝的遗老和开国重臣，这些人不仅在政治上以李世民为中心，在文学上仍然以他为中心，李世民的诗风和创作思想左右着这些人，因此这一时期的诗多是歌功颂德、点缀升平、言志说教的宫廷诗。

唐太宗李世民作为初唐前期诗坛的中心人物，他不仅是中国古代杰出的政治家、军事家，而且他在文学上也有一定的造诣。《全唐诗》卷一中说李世民"诗笔草隶，卓越前古，至于天文秀发，沈力高郎，有唐三百年风雅之胜，帝实有以启之焉。"李世民是中国历史上少有的英主之一，他即位之后就显示出革除弊政的雄心和决心，他在

《帝京篇序》中说自己要"以尧舜之风，荡秦汉之弊"。
因此他力倡儒家诗教，他所作的诗常常是胸襟阔大，俯视
千古，显得刚健雄浑，其中以艳情为主题的诗并不多见，
这是与以前宫廷诗的不同之处。李世民在诗坛中虽然算不
上大家，但由于其特殊的地位，也不能忽视，况且他的
诗风在很大程度上影响了初唐的诗坛。李世民现存的诗有
百余首，其中大多是述怀或言志之作，表现了李世民作为
一代英主的慷慨激昂的气概。例如他的《经破薛举战地》
就显得雄浑刚健："昔年怀壮气，提戈初仗节。心随朗日
高，志比秋霜洁。移锋惊电起，转战长河决。营碎落星
沈，阵卷横云裂。一挥氛沴静，再举鲸鲵灭。"除了述怀
和言志的诗之外，其他的诗并不被人们看好。

　　唐初诗坛除了李世民之外还有很多的宫廷诗人，如魏
徵、虞世南、李百药等人，他们的诗大都是应制、拟古、
说教之类。到了太宗朝的后期，上官仪（608？～664）则
成为宫廷诗坛上的主要人物。《旧唐书》中说他自幼"游
情释典，尤精三论，兼猎经史，善著文"，他在唐太宗后
期进入弘文馆，很快就后来居上，成为纯粹的宫廷诗人。
上官仪写了大量的精巧雅致、绮错婉媚的宫廷诗，被时人
争相效仿，人称"上官体"。他在总结前人和自己创作的
基础上，把六朝以来诗歌的对仗方法归结为六对、八对的
规律。六对"一是正名对，天地日月；二是同类对，花叶
草芽；三是连珠对，萧萧赫赫；四是双声对，黄槐绿柳；

五是叠韵对，彷徨放旷；六是双拟对，春树秋池。"八对
"一是地名对，送酒东南去，迎琴西北来；二是异类对，
风织池边树，虫穿草上文；三是双胜对，秋露香佳菊，春
风馥丽兰；四是叠韵对，放荡千般意，迁延一介心；五
是连绵对，残河若带，初月如眉；六是双拟对，议月眉期
月，论花颊胜花；七是回文对，情新因意得，意得逐情
新；八是隔句对，相思复相忆，夜夜泪沾衣。空叹复空
泣，朝朝君未归。"他对对仗方法的规范是为写宫廷诗服
务的，但是这些对仗技巧对律诗的发展也起到了一定的作
用，在他的努力下，宫廷诗达到了巅峰，但之后不久也开
始走下坡路。

在唐朝初期，诗人王绩唱出了与宫廷诗不相和谐的
声音。王绩（585～644），字无功，生于隋唐两朝换代之
际，目睹朝代的替换而归隐山林，是有名的隐士诗人。他
崇拜魏晋诗人阮籍和陶渊明，行为放达。他的诗歌也多模
仿田园诗的风格，表现一种愤世嫉俗的感情和隐居的闲适
自在的生活。他在《过酒家》中写道："此日常昏饮，非
关养性灵。眼看人尽醉，何忍独为醒。"这首诗表现了他
"众人皆醉我独醒"的意识。又如他的《野望》："东皋
薄暮望，徙倚欲何依？树树皆秋色，山山为落晖。牧人驱
犊返，猎马带禽归。相顾无相识，长歌怀采薇。"这首诗
把田家生活描绘得极为闲适幽静。王绩的诗率真质朴，在
唐初浮艳的宫廷诗占主导地位的诗坛不啻是一股清新的空

气，这对唐朝诗歌克服六朝以来绮丽雕琢的风气有很大的作用。

到了高宗和武则天时期，一批年轻的诗人开始在诗坛上活跃起来，其中最著名的要数"初唐四杰"了，他们反对浮华奢靡的宫廷诗，提倡"刚健"和"骨气"，希望重塑建安诗风，力倡写作古体诗。诗的题材也突破了宫廷的狭小范围，题材更为广阔，视野更加开阔。继他们之后，一大批诗人奋起响应，突破了宫廷诗垄断诗坛的局面，律诗逐渐定型，他们的成就为盛唐诗歌的繁荣奠定了基础。正如郗云卿在《骆宾王文集序》中说："（骆宾王）高宗朝与卢照邻、杨炯、王勃文词齐名，海内称焉，号为'四杰'，亦云'卢骆杨王四才子'。"他们批评以上官仪为代表的宫廷诗是"争构纤微，竞为雕刻""骨气都尽，刚健不闻"。

初唐四杰的诗内容丰富，为唐初的诗坛注入了新鲜的血液，并为后来陈子昂等人把唐诗发展到全新阶段创造了有利条件，但是当时也有人讽刺他们没有脱掉旧体裁的束缚。杜甫对初唐四杰的评价是"王杨卢骆当时体，轻薄为文哂未休。尔曹身与名俱灭，不废江河万古流"，是比较中肯的。

王勃（649～676），字子安，绛州龙门人，王绩是其叔祖父。王勃六岁即能文，十四岁作《滕王阁序》，年十五就上书右相刘祥道，陈述军国大事，被视为神童。

年十七应举及第，授朝散郎。沛王召署府修撰，诸王斗鸡，王勃戏作檄英王鸡，高宗怒斥之，受到斥责，后到了蜀中，曾任虢州参军，但因杀人又被革职。王勃父亲本为雍州参军，因勃之故，迁为交趾令，王勃渡海前去省亲，堕水而亡，年仅二十八岁。《旧唐书·杨炯传》中说王勃"文章宏逸，有绝尘之迹，故非常流所及"。有《王子安集》，存诗九十首。

杨炯（650～695），华阴人。十一岁举神童，授校书郎。后为崇文馆学士，武则天时期任梓州司法参军，后又迁为衢州盈川县令，最后死在任所之上。《旧唐书·杨炯传》说他"文思如悬河注水，酌之不竭"。有《杨盈川集》，存诗较少，不到四十首。

卢照邻（630～682），字升之，幽州范阳人。十岁时就师从曹宪、王义方，后来到邓王府任典签，在这里他读了邓王的大量书籍。之后拜新都尉，因风疾去官后，在具茨山买田居住，但因经不起病痛，投颍水而死。有《幽忧子集》，存诗九十余首。

骆宾王（640～684），婺州义乌人。七岁就能作诗。高宗时期，被道王李元庆召为幕府。咸亨元年（670）因事被贬官，到西域从军，后到了蜀中。后来他也做过一些小官，但都没有被重用，怏怏不得志，最后弃官而去。徐敬业起兵讨伐武则天，骆宾王作《代徐敬业传檄天下文》。武则天看到之后叹道"宰相安得失此人！"徐敬业败亡之后，骆宾王不知所终。骆宾王存诗较多，留有一百余首。

继"四杰"之后，陈子昂开始在诗坛上名声大振。陈子昂（661～702），字伯玉，梓州射洪（今属四川）人。因曾任右拾遗，后世称陈拾遗。青少年时轻财好施，慷慨任侠。据史书记载，他"至年十七八不知书，尝从博徒入乡学，慨然立志，因谢绝门客，专精典故，数年之间，经史百家，罔不该览。尤善属文，雅有相如、子云之风骨。"二十四岁中进士，以上书论政得到武则天的重视，后曾任右拾遗，但曾因"逆党"反对武则天而株连下狱。在二十六岁、三十六岁时两次从军边塞，对边防很有一些远见。三十八岁时辞官还乡，后被县令段简迫害，冤死狱中。陈子昂主张改革六朝以来绮靡纤弱的诗风，恢复《诗经》的"风雅"传统，强调比兴寄托，提倡汉魏之风骨。存诗一百余首，其中最具代表性的是《感遇》三十八首、《蓟丘览古赠卢居士藏用》七首和《登幽州台歌》。他的律诗较少，但如《晚次乐乡县》《渡荆门望楚》《春夜别友人》《送魏大从军》等五律，音节洪亮、风格雄浑，显示出近体诗趋向成熟时期的特色和刚健有力的诗风。陈子昂是唐诗革新的前驱者，其诗思想进步充实，语言刚健质朴，对唐代诗歌影响巨大，张九龄、李白、杜甫、元稹、白居易都从中得到过启发。可是他在大力反对六朝颓风的同时，忽视了六朝诗人长期积累的经验，其诗往往质朴有余而文采不足，有些诗篇语言较枯燥，形象也不够鲜明。

陈子昂的诗歌预示着盛唐"风骨"的到来，他的古体诗内容丰富，格调激昂顿挫，清除了初唐年间齐梁浮艳诗风的余波，从而揭开了盛唐诗歌的序幕。

盛唐诗歌

经过初唐一百多年的发展，至开元、天宝年间，唐朝社会达到了极盛的局面，这一时期也是唐代诗歌的辉煌时期，文学史上有"盛唐气象"和"盛唐之音"的美誉。这时的唐代诗坛群星荟萃、名家辈出。开元初期，在唐朝诗坛上还出现了两派不同风格的诗人：一派是以孟浩然、王维为代表的田园诗人，又称为清淡派诗人；另一派是以高适、岑参为代表的边塞诗人。

田园诗人多源于陶渊明，并受到张九龄的影响，喜爱自由闲适的田园生活而淡薄功名利禄，在诗歌上表现为写山水田园的诗居多，诗风也以平淡素雅为主。就诗体来说，此派诗人喜欢用五言的形式，也有以七言著称的，但是以五言为最佳。

盛唐时代最先以山水诗、行旅诗、田园诗博得大名的要数孟浩然了。

孟浩然（689～740），襄州襄阳（今湖北襄樊）人，人称孟襄阳。前半生主要居家侍亲读书，以作诗自娱，后来曾隐居鹿门山。四十岁时游历京师，应进士不第，返回家乡。他在长安时，与张九龄、王维交谊甚笃，他的诗也很有名气。后漫游吴越，穷极山水，以排遣仕途的失意。开元二十五年（737），张九龄被贬任荆州长史，孟浩然被辟为幕府，一年之后离开返乡。开元二十八年（740），王昌龄游襄阳，当时孟浩然背上有疾疹，忌讳吃鱼等，但老友相见，孟浩然竟忘了忌讳，纵情饮食，导致疾疹发作而亡，终年五十二岁。孟浩然的诗歌绝大部分为五言短诗，多写山水田园和隐逸、行旅等内容，虽不无愤世嫉俗之作，但更多属于诗人的自我表现。其诗在艺术上有独特造诣，实属继陶渊明、谢灵运、谢朓之后，开盛唐田园山水诗派之先声。孟浩然的诗不事雕饰、清淡简朴，感受亲切真实，生活气息浓厚，富有超妙自得之趣。如《过故人庄》《春晓》等篇，淡而有味，浑然一体，韵致飘逸，意境空旷。孟浩然的诗以空旷冲淡为基调，但冲淡之中又有壮逸之气，如《临洞庭上张丞相》的"气蒸云梦泽，波撼岳阳城"一联，就写得景象阔大，气格雄浑。但这类诗在孟浩然的诗中不多见。

与孟浩然齐名的另一位田园诗人是王维。王维（701~761），字摩诘，祖籍太原，开元九年（721）进士。少年时就在京洛一带活动于王公权贵之中，因精通音律而被授为大乐丞，不久之后任济州司仓参军。开元二十二年（734），张九龄执政，王维被升为右拾遗。两年之后张九龄被罢相，他深感沮丧，便萌生了归隐的意思。

孟浩然画像

开元二十五年（737）为监察御史，出使河西节度使幕府，被留为判官。安史之乱前，官至给事中。安史之乱中被俘虏，被迫做了叛军的官员。安禄山摆宴席时强迫梨园乐工奏乐，王维听说之后作诗表达自己的不满和对唐朝王室的忠心，曾诗云："万户伤心生野烟，百官何日再朝天？秋槐叶落空宫里，凝碧池头奏管弦。"安史之乱后因这首诗免于治罪，并授太子中允。后又升为太子中庶子、中书舍人、给事中，并做了尚书右丞。他在四十多岁时，曾先后隐居终南山和辋川，一生可谓坎坷不平。

王维诗现存不足四百首，其中以描绘山水田园和歌咏隐居生活一类成就最大。苏东坡评价王维的诗是"诗中有画，画中有诗"。他对自然美的感受独特而又细致入微，笔下山水景物独具神韵，稍加渲染而意境悠长，色彩鲜明美丽，极有画意。写景则动静结合，长于细致入微地表现自然界光色和音响变化。而且在描绘自然美景的同时，流露出闲居生活中闲逸潇洒的情趣，或静谧恬淡，或气象萧索，或幽寂冷清，表现了诗人对现实漠不关心甚至禅学寂灭的思想情绪。加之艺术技巧很高，颇为后人所推崇。

王维同时也有反映军旅和边塞生活，表现侠义、揭露时弊的诗歌。他的一些赠别亲友和写日常生活的小诗，如《送元二使安西》《相思》《九月九日忆山东兄弟》《送沈子福归江东》等，古今传诵。这些小诗都是五绝或七绝，情真语挚，不事雕琢，有淳朴深厚之美，堪与李白、王昌龄的绝句相媲美，代表盛唐绝句的最高成就。名作如《终南山》《汉江临泛》《山居秋暝》《青溪》《过香积寺》《辋川集》二十首等。王维送别、纪行一类诗中，也常有写景佳句，如《使至塞上》中"大漠孤烟直，长河落日圆"句等，历代传诵不衰。王维生前身后均享有盛名，有"天下文宗""诗佛"之美誉，对后世影响巨大。

在盛唐初期的诗坛上除了以孟浩然和王维为代表的田园诗人之外，还有以高适、岑参为代表的边塞诗人。宋人严羽在《沧浪诗话》中说："高、岑之诗悲壮，读之使

王维画像

人感慨。"又说盛唐之诗"如颜鲁公书，既笔力雄壮，又气象浑厚"。胡应麟说"高、岑悲壮为宗"。这两人的评价都极为恰当，说出了盛唐气象的特点。高、岑等边塞诗人与田园诗人不同，他们虽然也用五言，但他们更长于七言，尤其是七古。他们崇尚汉魏风骨，直抒胸臆，诗的题材也多以边塞、田猎等为主，表达自己希望在边塞建功立业的豪情壮志。这派诗人除高适、岑参外，还有王昌龄、王之涣等人。

高适（700？～765），字达夫，渤海人。其父官至韶州长史，在高适年幼时就去世了。他在二十岁时到了长安，但未得到重用，便回到家中，一边耕地一边读书。后来又游历荆襄，在开元二十年（732）又到了燕赵之地，打算从军，为国效力，但还是没能如愿。此后他在仕途上一直不顺利，直到后来在田良丘的推荐下入了河西节度使哥舒翰的幕府，仕途才开始腾达。安史之乱时，高适任左拾遗，后转为监察御史，辅佐哥舒翰守潼关。肃宗时高适被任命为扬州大都督府长史，淮南节度使，平永王璘的叛乱。后受到李辅国的谗言，被左迁为东都太子少詹事，到了洛阳。此后历任彭州刺史、蜀州刺史、成都尹、剑南西川节度使、刑部侍郎等职，并被封为渤海县侯。《旧唐书》中评价高适说："适喜言王霸大略，务功名，尚节义。逢时多难，以安危为己任，然言过其术，为大臣所轻。累为藩牧，政存宽简，吏民便之……而有唐以来，诗人之达者，唯适而已。"

高适由充军边塞到充当幕府书记再到担任一方重镇的节度使，走出了一条立功塞外疆场的辉煌之路。在诗歌创作上，他却是"年过五十始为诗"。高适的诗风现实主义多于浪漫主义，在描写边塞的战斗生活时，他侧重于表现战斗的激烈、艰苦和对士卒的同情，例如他的名作《燕歌行》，这首诗描述了一次战役的从出征到结束的全过程，他将沙漠的荒凉环境、惊心动魄的战争气氛、士兵的复杂心理等融为一体，形成了雄厚壮健、悲壮浑朴的艺术风格。他在形式上采用七言歌行，四句一转，押韵平仄相间，并且多用对偶句来组成鲜明的对比，显得气势奔放。另外他的一些赠别诗，如《别董大》《别韦参军》也具有豪迈动人的边塞诗气概。

边塞诗人的另一位代表岑参也是一位有志于建功边塞的诗人，他曾经吟诵出"功名只应马上取，真是英雄一丈夫"的豪迈诗句。岑参（715～770），江陵人，其曾祖父曾在太宗朝为相，其伯祖曾在高宗时为相，伯父在睿宗时为相。但在岑参出生前两年，其伯父以谋反罪被诛，从此家道大衰。岑参的父亲曾做过刺史之类的官，但也在他幼年时就去世了。岑参少年孤贫，跟从其兄学习，"五岁读书，九岁属文，十五隐于嵩阳，二十献书阙下"。此后来往于京洛之间，希望谋到官职。天宝三年（744），及进士第，被授为右内率府兵曹参军。天宝八年（749），他离开长安到安西，充当安西四镇节度使高仙芝掌书记，十年之后又回到长安。之后又作了安西、北庭节度使封常清的幕府判官，后被授为右补阙。其后又历任各种小官，一直没能实现封侯的愿望。大历五年（770）被罢官，客居成都，并于此年去世。岑参的诗随着其生活的变化可以分为三个时期。第一时期，在他出塞前的读书和初仕时期，这一时期，他的诗主要是行旅登临及酬赠之诗，多用五言形式，主要表现相思客愁，仕途失意；天宝八年之后，他的诗风大变，境界更加开阔，格调高昂，感情激壮，转入第二时期。例如他的《走马川行奉送出师西征》，"君不见走马川，雪海边，平沙莽莽黄入天！轮台九月风夜吼，一川碎石大如斗，随风满地石乱走。匈奴草黄马正肥，金山西见烟尘飞，汉家大将西出师。将军金甲夜不脱，半夜军行戈相拨，风头如刀面如割。马毛带血汗气蒸，五花连钱旋作冰，幕中草檄砚水凝。虏骑闻之应胆慑，料知短兵不敢接，车师西门伫献捷。"全诗句句押韵，三句一转，节奏急促有力，声调激昂。但是也保留了他写景的技巧，例如在《白雪歌送武判官归京》诗中"忽如一夜春风来，千树万树梨花开"二句，就把边塞的雪写得极为传神；第三时期为至德二年（757）从边塞返家之后到终老蜀中，由于自己封侯边塞的愿望并没有实现，又目睹安史之乱，这一时期的诗风又是一变，显得有些悲凉。

诗仙与诗圣的双重变奏

盛唐诗坛上的巅峰人物当属李白，而中唐诗坛的巅峰人物则非杜甫莫属。这两个中国古代最伟大的诗人之间年龄相差不大，李白比杜甫年长十一岁，差不多应算同时代人，但一般都把杜甫归为中唐诗人，这里为突出两人不同的艺术风格把两人放在一起来讲。

他们二人虽然同为唐代诗坛的巅峰人物，但风格却迥然不同，一个飘逸洒脱，一个沉郁顿挫。两人都代表了唐代诗歌的最高境界，难分轩轾。明代诗文家王世贞曾比较二人说："五言诗、选体及七言歌行，太白诗以气为主，以自然为宗，以俊逸高畅为贵；子美诗以意为主，以独造为宗，以奇拔沉雄为贵。其歌行之妙，咏之使人飘飘欲仙者，太白也；使人慷慨激烈，歆歔欲绝者，子美也。"他的这段评价是很公允的。

李白（701～762），字太白，号青莲居士，陇西成纪人，其先祖在隋末战乱之时逃到碎叶，李白就出生在此地。唐中宗神龙元年（705），当李白四岁时，全家迁居四川绵州。李白在少年时代就"观奇书""游神仙""好剑术"，有着多方面的才能与兴趣。在年少时就出门远游，希望通过结交名流与隐居学道来博得声名，期待有一天被贤明君主赏识，为官为相，实现自己的抱负。天宝元

李白画像

年（742）被招入京，任翰林供奉，故人称"李翰林"。当时的太子宾客贺知章因赏识李白的诗歌和风采，誉之为"谪仙子"，这使得李白名声大振。但是唐玄宗只是让李白待诏翰林院，作文学侍从之臣，这与李白傲岸不羁的性格不符，不甘心"摧眉折腰事权贵"。三年之后，李白因遭谗言，自请还山，离开了长安。从此他到处游山访仙，狂歌狂饮，以消解怀才不遇的愤激之情。但是他从来没有放弃建功立业的雄心壮志，安史之乱爆发后，李白先是逃难到了剡中，随后又到庐山，隐居在屏风叠，但是他并非真正地隐居，随时密切观察着时局的发展。肃宗至德元年（756）冬天，镇守江陵的永王李璘擅自引兵东巡，过庐山时仰慕李白的才学，再三请其入幕府。李白此时已经五十多岁，但壮志犹存，抱着"为君谈笑静胡沙"的雄心，接受了李璘的邀请。后来李璘兵败，李白只身西逃，到浔阳自首。后经崔涣、宋若思等人为之洗雪冤屈始得出狱，但被流放夜郎，后得赦免。上元二年（761）秋天，李白听说李光弼出征东南，虽然当时已经六十一岁，他还是请缨出征，但因病不能成行。宝应元年（762），代宗继位，诏李白为左拾遗，但没有上任就病逝在其族叔当涂县令李阳冰家中，时年六十二岁。

李白的诗歌现存近千首，内容极为丰富，这些熠熠生辉的诗作，表现了他一生的心路历程，是盛唐社会现实和精神生活的艺术写照。其中有大量抒发自己宏大的政治抱负的诗歌。李白一生都怀有远大的抱负，至死都不忘建功立业，对这一点他从不掩饰。他以大鹏自比，想像自己也像大鹏一样乘风直上，而一鸣惊人。他在《上李邕》中写道："大鹏一日同风起，抟遥直上九万里。假令风歇时下来，犹能簸却沧溟水。时人见我恒殊调，见余大言皆冷笑。宣父犹能畏后生，丈夫未可轻年少。"他的这种建功立业的意向在他的《梁甫吟》《读诸葛武侯传书怀》《书情赠蔡舍人雄》等诗篇中，也都有绘声绘色的展露。他常常借助历史上的贤士高人来自比，例如他很崇拜战国时代的鲁仲连。他在《古风》第十首中写道："齐有倜傥生，鲁连特高妙。明月出海底，一朝开光曜。却秦振英生，万世仰末照。意轻千金赠，顾向平原笑。吾亦澹荡人，拂衣可同调。"

李白自少年时代就喜好任侠，写下了不少游侠的诗，他在《结客少年场行》《侠客行》等诗中对"笑尽一杯酒，杀人都市中""十步杀一人，千里不留行"的侠客形象极为赞颂和钦慕。李白在长安三年的政治生活，对他的创作产生了深刻的影响。政治理想和黑暗现实之间的差距，使他胸中充满了难以言状的痛苦和愤懑之情，为抒发自己的愤懑之情他写下了《行路难》《古风》《答王十二寒夜独酌有怀》等一系列仰怀古人、自悲身世、愁怀难遣的著名诗篇。

李白大半生过着颠沛流浪的生活，游历了全国许多名山大川，写下了大量赞美大好河山的优美诗篇，借以表达出他那种酷爱自由、渴望解放的情怀。在这一类诗作中，奇险的山川与他那放荡不羁的性格得到了完美的结合。这类诗在李白的诗歌作品中占有不小的数量，被世世代代传诵，其中《梦游天姥吟留别》是最杰出的代表作。诗人以淋漓挥洒、心花怒放的诗笔，尽情地发挥自己的想像力，写出了精神上的种种历险和追求，让苦闷、郁悒的心灵在梦境中得到了升华，而那"安能摧眉折腰事权贵，使我不得开心颜！"的诗句，更把诗人的一身傲骨展露无遗。他还写过一些边塞诗和乐府诗，如《塞下曲》《子夜吴歌》等诗篇也广为流传。

杜甫评价李白的诗是"笔落惊风雨，诗成泣鬼神"，鲜明地指出了李白诗歌的艺术特色。李白作为一个浪漫主义诗人，使用了一切浪漫主义手法，使诗歌的内容和形式达到了完美和谐的统一。李白诗抒情色彩十分浓烈，感情的表达具有一种排山倒海、一泻千里的气势。比如，他初入京求官时："仰天大笑出门去，我辈岂是蓬蒿人！"想念长安时："狂风吹我心，西挂咸阳树。"这样的诗句都极富感染力。他用极度夸张的手法、贴切的比喻和惊人的想像表达诗的意境，但又使人有十分真实的感觉。在读到"抽刀断水水更流，举杯消愁愁更愁""白发三千丈，缘愁似个长"这些诗句时，诗人绵长的忧思和不绝的愁绪感染着每一位读者。这一艺术表现手法在《梦游天姥吟留别》《蜀道难》等诗中表现得尤为突出。宋代曾巩评价李白的诗说："子之文章，杰力人上。地辟天开，云蒸雨降。播产万物，玮丽瑰奇。大巧自然，人力何施？又如长河，浩浩奔放。万里一泻，末势尤壮。大骋阙辞，至于如此。意气飘然，发扬俦伟。"关于李白诗的师承问题，清人刘熙载在《艺概》中说："太白诗以《庄》《骚》为大源，而嗣宗之渊放，景纯之隽上，明远之驱卖，玄晖之奇秀，亦各有所取，无遗美也。"李白是在广泛吸收前代诗人的基础上才发展出了自己独特的风格，成为古今之集大成者。他发展了庄子寓言和屈原的浪漫主义格调，再加上中国道教的神仙意象，形成了独特的魅力，因此赢得了一代"诗仙"的美誉。

李白才气横溢，擅长各种诗体。他的七言古诗最负盛名，如《将进酒》《梁甫吟》等。这种形式最能表现他的性格和气质，表现了纵横变幻、雄视百代的艺术个性，因而最能代表他的总体艺术风格。他的绝句在唐人中也是成就最高的，七言佳作尤多。前人有言说"七言绝……太白为偏美""唐三百年一人"，可见李白的七绝在诗歌史上的地位。他的七绝有《送孟浩然之广陵》《赠汪伦》等名篇。他的五言古诗也很有成就，如《古风》五十九首。虽然他的律诗不多，但也有名篇传世，如《渡荆门送别》，对仗十分工整，境界也十分壮阔。

李白的诗歌在唐代就享有盛名，他的诗是"集无定卷，家家有之"，很受人欢迎。他的豪迈和浪漫的气质，都深深影响着当时和后世的诗人。中唐的韩愈、孟郊、李贺，宋代的苏轼、陆游、辛弃疾，明清的高启、杨慎、龚自珍等著名诗人，都受到李白诗歌的巨大影响。

杜甫（712～770），字子美，生于河南巩县，祖籍湖北襄阳。他在长安居住时一度住在城南的少陵附近，故自号"少陵野老"。在成都时曾被荐为节度参谋、检校工部员外郎，人称"杜工部"。杜甫的十三世祖杜预为晋初名将，被封为当阳县侯，多谋略，人称"杜武库"。杜预还很博学，曾作《春秋左氏经传集解》。杜甫的祖父是唐代有名的诗人杜审言，曾做过兖州司马、丰先令。他出生于这样一个世代"奉儒守官"，并有文学传统的家庭，自幼便刻苦读书，同时这也决定了他一生的奋斗方向。他在少年时就表现出了非凡的才能，"七龄即思壮，开口咏凤凰。九龄书大字，有作成一囊。"十五岁时就开始扬名。

杜甫画像

　　二十岁后开始游历天下，唐玄宗开元十九年至天宝四年（731～745），杜甫过着"裘马颇清狂"的浪漫生活，曾先后游历吴越和齐赵一带，其间曾赴洛阳考进士落第。天宝三年（744），他在洛阳和李白相识，两人一见如故，成为挚友，但是第二年秋天分手后再没有见过面。杜甫此期诗作现存二十余首，多是表现自己豪情壮志、建功立业之作，多用五律和五古，以《望岳》为代表。

　　天宝五年（746），当时他已经三十五岁，怀着"致君尧上，再使风俗淳"的抱负到了长安，但是他的希望很快就被现实打破了。为求功名，他不断投献权贵。他曾描述自己的这段生活说"朝扣富儿门，暮随肥马尘。残杯与冷炙，到处潜悲辛"。天宝六年（747）曾应"制举"不中；天宝十年（751）向唐玄宗献"大礼赋"三篇并得赏识，命待诏集贤院。到天宝十四年（755）十月，安史之乱前一个月，才得到一个右卫率府胄曹参军的小官。仕途的失意和个人饥寒交迫的生活使他认识到了唐王朝的腐败和社会下层人民的苦难，在创作上发生了深刻、巨大的变化。作出了《兵车行》《丽人行》《前出塞》《后出塞》《自京赴奉先县咏怀五百字》等这样不朽的名篇。此期流传下来的诗大约一百首，其中大都是五七言古体诗。

肃宗至德元年至乾元二年（756~759），安史之乱最盛，杜甫也历尽艰难。长安陷落后，他北上灵武投奔肃宗，但半路被俘，后冒死从长安逃脱，到了凤翔肃宗行在，被任命为左拾遗，但不久就因上书救房琯，触怒肃宗，几乎被处死。长安收复后，杜甫回京仍任左拾遗。乾元元年（758）六月，因房琯案，被贬华州司功参军，永别长安。乾元二年（759）七月，因感到前途渺茫，生活又困顿不堪，于是决定弃官到蜀中去。这个时期的杜甫，对现实生活有了更清醒的认识，先后写出了《悲陈陶》《春望》《三吏》《三别》等传世之名作。此期流传下来的诗歌有二百多首，大部分是其杰作。

肃宗上元元年至代宗大历五年（760~770）的十一年中，杜甫先在蜀中八年，后到荆、湘三年。肃宗上元元年（760），他在成都浣花溪畔建草堂，并断断续续住了五年。宝应元年（762），杜甫好友严武任成都尹和剑南节度使，杜甫的生活条件也得到了改善。其间曾因战乱而避难梓州和阆州。永泰元年（765），严武去世，杜甫失去凭依，举家离开成都，因病滞留云安，次年暮春迁往夔州。大历三年（768），杜甫一家辗转江陵、公安，在年底到达岳阳。他一生的最后二年，居无定所，飘泊于岳阳、长沙、衡阳、耒阳之间，多在船上度过。大历五年（770）冬，杜甫因病死于从长沙到岳阳的一条船上，时年五十九岁。逝世前作三十六韵长诗《风疾舟中伏枕书怀》，有"战血流依旧，军声动至今"之句，仍以国家灾难为念。在这十一年中，他写诗一千余首（其中夔州作四百三十多首），占全部杜诗的七分之五强，多是绝句和律诗，也有长篇排律。名作有《茅屋为秋风所破歌》《闻官军收河南河北》《秋兴八首》《登高》《又呈吴郎》等。

杜甫同李白一样，都是才华横溢的大诗人，也擅长各种诗体。五古杜甫运用得最为纯熟，清代施补华说："少陵五古千变万化，尽有汉、魏以来之长而改其面目。叙述身世，眷恋朋友，议论古今，刻画山水，深心寄托，真气岔涌。颂之典则，雅之正大，小雅之哀伤，国风之情深文明，长于讽喻，息息相通，未尝不简质浑厚。"《三吏》《三别》等都是五言绝调。杜甫还擅长七古，并使七古在初唐的基础上有所创新和变化。他多用七古来抒发感情，发表政见。清人宋荦评价说"七言古诗，上下千百年定当推少陵为第一"。他用七古，喜欢一韵到底，甚至句句用平声韵，一韵到底而不换，如《兵车行》《丽人行》等都是杜甫诗中七言古诗的典范之作。杜甫在律诗上的成就也十分突出，其中五律杜甫写得最多，但他的七律的成就却比五律要高，并且他的七律在数量上超过了此前诸家所作之和。他的七律诗的精品很多，如《登高》就很受后人赞扬。胡应麟对这首诗评价说："一篇之中，句句皆奇；一句之中，字字皆奇。"除此之外，杜甫在排律和绝句上也很有成就。

杜甫是中国诗歌史上一位承前启后、影响极为深远的诗人之一。他和李白一起代表了唐代诗歌的最高成就，后人誉之为"诗圣"。

杜甫的诗现存约一千四百余首。这些诗深刻地反映了唐代安史之乱前后二十多年的社会全貌，生动地记载了杜甫一生的生活经历：把社会现实与个人生活紧密结合在一起，达到了内容与形式的完美统一，被后世称为"诗史"。杜甫在艺术上的开创性成就不仅在于开创了诗歌的写实之风，发展了叙事诗，还在于他把叙事诗和抒情诗完美地结合起来，在反映社会现实的同时，通过独特的艺术手段来表达自己的主观感受。清人浦起龙在评价杜甫诗的这一特点时说："少陵之诗，一人之性情，而三朝之事会寄焉者也。"天宝后期以来，杜甫写了大量讽刺时政的诗，如《洗兵马》《有感》等，虽然内容各不相同，但都是把个人感受与事实相结合。以战争为题材的诗在杜甫的诗中也占有很大的比例，例如《前出塞》《后出塞》《三吏》《三别》等，表达了诗人反对战争、同情民众的思想。另外他还作了很多反映社会不平等、反映自己生活情趣、行旅登临等诗，这些诗有很多也都成为千古绝唱，为世人所推崇。

在唐代诗坛上杜甫和李白实在难分轩轾，虽然在历史上也出现过李杜究竟孰优孰劣的争论，但多数人都承认他们二人是唐代诗坛上的两朵奇葩，两人性格不同，诗风也迥然有异。一个飘逸雄奇，一个沉郁顿挫；一个代表了中国古典诗歌浪漫主义的高峰，一个代表了中国诗歌现实主义的顶点。有人评价说"李才情俊，杜才情郁；李情旷达，杜情孤愤；李若飞将军，用兵不按古法，士卒逐水草自便；杜则肃部伍，严刁斗，西宫卫尉之师也。"此评论甚佳。

中唐诗歌

从唐肃宗至德初年到唐穆宗长庆年间（755~824）的六十九年是为中唐。此间唐朝经过了安史之乱的打击之后国势大衰，盛唐气象不再。在中唐前期（756~794）的诗坛上，诗人们多是生于开元年间而死于乱后，经历了唐朝由极盛走向衰微的过程。他们在诗歌创作上强调诗歌的写实功能，延续了杜甫诗歌反映民间疾苦、规讽时政的创作取向。这一时期的代表诗人是元结和顾况。唐德宗贞元十一年（795）到唐穆宗长庆四年（824）共三十年时间，是中唐后期。在这一时期，中唐前期的诗人大多都已不在人世，诗坛上涌现出一大批新人，大量的名篇相继问世，形成了开元天宝之后的又一次高潮。这时的诗歌不仅数量多、质量高，而且和前代相比呈现出一种崭新的面貌，风格多样、个性突出。这一时期的诗坛还形成了两大诗派：一是以白居易、元稹为代表的新乐府诗派；一是以韩愈、孟郊为代表的险怪诗派。在这两大派之外，柳宗元与刘禹锡也是自成一家的诗人。

"极盛难及"的中唐前期诗坛

中唐前期的诗人以元结和顾况为代表。

元结（719～772），字次山，号漫叟。祖上为鲜卑族人，世居太原。元结父亲时迁居鲁山，元结就生于此。天宝十三年（754）及进士第。安史之乱时，携带家人南奔。肃宗乾元二年（759）受诏入京，令其招募义兵抗击史思明的军队。第二年被授为水部员外郎兼殿中侍御，充任荆南节度使判官。他在这个时候编成《箧中集》。代宗时候任道州刺史，后又改任容州刺史。大历七年（772）在长安去世，终年五十四岁。元结是一个"尝欲济时难"的诗人，他曾多次上书，指责朝廷官吏、陈述民生疾苦，提出了"救世劝俗"的政治改革主张。元结的这种耿直的性格，深得杜甫的赞赏。杜甫在《同元使君春陵行》序中说："得结辈十数公，落落然参错天下为邦伯，万物吐气，天下小安，可待矣。"

可见他与杜甫志向相投，深得他的赏识。

在文学上，元结反对"拘限声病，喜尚形似"的淫靡诗风，有意提倡古体诗的"风雅"传统，要求诗歌能"极帝王理乱之道，系古人规讽之流"，达到"上感于上，下化于下"的政治目的。因此，他的作品具有强烈的现实性。天宝五年（746）写作的《闵荒诗》，借隋炀帝亡国的历史教训以规讽时政："奈何昏王心，不觉此怨尤。遂令一夫唱，四海忻提矛。"其后，《系乐府十二首》中《贱士吟》《贫妇词》《去乡悲》诸篇，触及天宝中期日益尖锐的社会矛盾。更有代表性的是在道州任上写作的《春陵行》和《贼退示官兵》。当时人民饥寒交迫，挣扎于死亡的边缘，而皇家征敛却变本加厉、有增无减。元结对这种社会不公正现象深感愤慨："奈何重驱逐，不使存活为！"愤怒地斥责："使臣将王命，岂不如贼焉！"元结的新题乐府诗偏重从规讽时政着手，又成为白居易讽喻诗的先声。

顾况（725～815？），字逋翁，自称华阳山人，苏州人。他是中唐前期略晚于元结的现实主义诗人。至德二年（757）进士。顾况的诗也强调"声教"，这与元结相同，都继承了《诗经》的讽喻精神。例如他的《上古之什补亡训传十三章》中的一章《囝》，描写了闽地恶吏掠夺儿童的事件，这些恶吏对掠来的儿童进行阉割，使他们终生不复有成家自立的念头，任受驱遣。

元结和顾况是以继承盛唐杜甫现实主义闻名，而刘长卿和韦应物二人在中唐早期的诗坛上则是以继承盛唐清淡派著称。刘长卿和韦应物二人虽然也写了一些感伤社稷民生的诗作，但是两人写得最多的是自己的个人生活。刘长卿写得最多的是他飘落异乡、羁旅行役、怀乡伤别、嗟叹沉沦、赞美隐逸的诗歌；韦应物的诗歌则多写自己洁身自好的雅怀、静观自然的情趣、忘怀得失的真淳，往往显得幽淡自在。除此之外，中唐前期的诗人，还有以写自己个人日常生活的闲雅情趣见长的"大历十才子"。

关注社稷民生的新乐府诗派

中唐后期，新乐府诗派以白居易和元稹为代表，他们继承和发扬了《诗经》和汉乐府的现实主义传统，从文学理论上和创作上掀起了一个现实主义诗歌的高潮，即新乐府运动。他们希望以诗讽喻时政，裨补教化，改革政治，实现中兴。在语言上，讲求语言的通俗易懂是他们共同的特色。

白居易（772～846），字乐天，号香山居士，太原人。少有才华，六岁就开始写诗，十五岁开始游历吴越。贞元十六年（800）中进士，时年二十九岁。后又与元稹同时考中"书判拔萃科"，两人也在此时订交，在诗坛上并称"元白"。贞元十九年（803）春天，白居易被授为秘书省校书郎，元和元年（806），撰《策林》七十五篇。同年考中"才识兼茂明于体用科"，被授为县尉。元和二年（807）回朝任职，十一月授翰林学士，次年任左拾遗。元和四年（809），与元稹、李绅等一起倡导新乐府运动。元和五年（810），改任京兆府户曹参军，但他仍充任翰林学士，草拟诏书，参与国政。他不畏权贵，敢于直言上书言事。元和六年（811），他因母丧居家守制，服满后，应诏重回长安任职。元和十年（815），因率先上书请逮捕刺杀武元衡的凶手，被贬江州司马，次年写下《琵琶行》。此后，他开始以做地方官作为隐居的方式，在庐山建草堂，从"兼济天下"转向"独善其身"，闲适、感伤的诗不断增多。元和十三年（818），改任忠州刺史，十五年（820）还京后任中书舍人。因忍受不了朝中朋党之争，于长庆二年（822）请求外放，先后为杭州、苏州刺史，颇得民心。文宗大和元年（827），拜秘书监，第二年转任刑部侍郎。白居易从五十八岁开始定居洛阳，先后担任太子宾客、河南尹、太子少傅等职。会昌二年（842）以刑部尚书致仕。他在洛阳过着饮酒、弹琴、赋诗、游山玩水和"栖心释氏"的生活。时常与名诗人刘禹锡唱和，时称"刘白"。会昌四年（844），当他七十三岁时还出资开凿龙门八节石滩以利舟民。七十五岁病逝，葬于洛阳龙门香山琵琶峰，李商隐为其撰写墓志。

纵观白居易的诗歌创作，可以分为三个不同的阶段。

从他出生到四十四岁是第一个阶段。这一阶段正是他成长求学、热心仕进的时期，无论从哪个方面来看，这段时间都是他的黄金季节。他自小便有大志，很有诗才。据说白居易初到长安时，拿着自己的早期诗作《赋得古原草送别》向顾况"行卷"，顾况看到他的名字时开玩笑地说："米价方贵，居亦弗易！"但看过此诗之后，称赞写得这样的好诗：
"居即易矣！"白居易从此名声大振。他在这段时期里写
了大量的讽喻诗，直陈时事，言辞激烈，表达了他在面临中
唐后期的社会危机时以天下为己任，希望以诗代谏，上达天
听，以图中兴。在这段时期里他写下了《长恨歌》等著名的
诗篇。

从四十四岁到五十六岁，可看作是他创作的第二个阶段。这
一时期他基本上在做地方官，除了短暂两年的在京得意，他长期
外放，心情很不愉快。这一时期他以诗酒自娱，罕言政事，开始
独善其身。这段时期的代表作当推《琵琶行》。

从五十六岁到去世，是第三个阶段。这一时期基本
上隐居洛阳，开始信佛炼丹，不问世事，唯以诗酒为娱。
《代梦得吟》就很好地反映了他这时的心态："后来变化
三分贵，同辈凋零太半无。世上争先从尽汝，人间斗在不
如吾。竿头已到应难久，局势虽迟未必输。不见山苗与林
叶，迎春鲜绿亦先枯。"诗中表达了他以远离世事甚为庆
幸的思想。

白居易立身行事，以儒家"达则兼济天下，穷则独善其
身"为指导思想。在诗歌理论上，他也很有创见。他把诗歌
比做果树，提出"根情、苗言、华声、实义"的观点，他以
为"情"是诗歌的根本，"感人心者莫先乎情"，而情又是
有感于事而发。因此，诗歌创作不能脱离现实，必须在现实
生活中寻找素材。他继承的是《诗经》以来的比兴、讽刺传

统，重视诗歌的现实内容和社会作用。

白居易曾将自己的诗分成讽喻、闲适、感伤和杂律四大类。大体而言，前三类属于古体，而后一类属于近体。四类诗中，白居易最为重视讽喻诗，认为讽喻诗体现了"为君、为臣、为民、为物、为事"的思想。闲适诗显示了他的"独善之义"。感伤诗和杂律诗则"或困于一时一物，发于一笑一吟，率然成章，非平生所尚"。讽喻诗是白诗中的精华，代表作有《新乐府》五十首、《秦中吟》十首。它们广泛反映了中唐社会各方面的重大问题，这些诗措辞非常激烈，无所顾忌，在形式上多直述其事、叙事完整、情节生动，人物情感十分细腻传神。还有的讽喻诗采用寓言托物的手法，借助自然物象寄托政治感慨；闲适诗多抒写对归隐田园的宁静生活的向往和洁身自好的志趣，不少诗也宣扬了知足保和、乐天安命的思想。但这些诗也是出于对现实的不满而作，实际上是无可奈何后的一种解脱；感伤诗则以叙事长诗《长恨歌》《琵琶行》等为代表。《长恨歌》歌咏唐玄宗和杨贵妃的婚姻爱情故事，既有"汉皇重色思倾国"的寄讽，更有"此恨绵绵无绝期"的感伤与同情。《琵琶行》则有"同是天涯沦落人"的遭际之感，语言成就突出。这两首诗叙事曲折，写情入微，善于铺排烘托，声韵流畅和谐，流传甚广。

白居易的诗明白易懂，在当时就很受欢迎，上自宫廷王府，下至普通百姓，都在吟唱。甚至远及日本、暹罗等国。白居易的诗对后世文学影响巨大，晚唐皮日休、陆龟蒙、聂夷中、罗隐、杜荀鹤等都受到白居易的影响。在白居易之前，王建和张籍都写了较多的新乐府诗，并得到了白居易的推崇。

元稹（779～831），字微之，河南府人。他和白居易关系甚笃，被并称为"元白"，也是以写新乐府诗著名。他非常推崇杜甫的诗，也常常学习杜诗的写法，但是他在学习杜诗的时候，能够不拘泥于杜诗的形式。他主张乐府诗要反映社会问题，要针对时政发表议论，这些主张和白居易完全一致。他的诗在平浅明快之中尽现华美之气，在细节刻画上显得真切动人，比兴手法也极富情趣。他的长篇叙事诗《连昌宫词》，意含讽喻，和白居易的《长恨歌》齐名。白居易和元稹不仅继承了杜甫感讽时事的传统，而且追求一种明白易懂的诗风，形成了一个崭新的诗派，文学史上称为"新乐府诗派"或"元白诗派"。

追求新异的险怪诗派

险怪诗派当以韩愈为代表。韩愈（768～824），字退之，河南河阳人。他幼年丧父，跟从长兄韩会学习，贞元八年（792）考中进士，时年二十五岁。他一生中曾历任监察御史、中书舍人、太子右庶子、刑部侍郎、国子祭酒、吏部侍郎等职。

韩愈不仅是杰出的散文家，同时也是中唐诗坛上能够开创一代诗风的诗人，他曾致力于诗歌的革新，纠正大历十才子的平庸之风：他肯定了从《诗经》到建安诗歌的传统，认为晋宋诗歌已经"气象日雕耗"；他十分推崇李白和杜甫的诗歌，他评价说"李杜文章在，光焰万丈长"。他的诗歌继承了李白诗歌的自由豪放和杜甫的体格变化，独立开拓新的诗歌创作之路。

韩愈在贞元年间（768～828）的诗对现实也有一定的关怀，如《汴州乱》等。在元和之后，韩愈的诗向奇崛险怪的方向发展。元和元年（806），他和孟郊在长安写了长篇联句诗近十首，在这些诗中两人互相夸奇斗险，不肯一字相让，也就是在这一年他写成了著名的《南山诗》，他用汉赋排比的手法，描述终南山四时景色的变化及各种形态的山势。搜罗奇字，光怪陆离，押用险韵，并且一韵到底。最为后人称道的是，他一连用了五十一个带"或"字的比喻句，如"或连若相丛，或蹙若相斗，或妥若弭伏……"他为诗歌的创新做了不少有益的尝试，但他为求奇险而走极端的做法却遭到了很多人的批评。例如《月蚀诗效玉川子作》等一系列诗歌，这些诗歌也都往往标榜奇险诗风，在内容上并没有什么积极的意义，甚至可以说是一种刻意的雕饰，只能被看做是一种文字游戏。即使是《南山诗》这样的名作，也被许多批评家们认为是学不得的。但是他在探索诗歌创作的新形式上用了很多的心血，的确也开拓了一条与李白杜甫完全不同的道路，这方面的成功之作当推《八月十五夜赠张功曹》。

韩愈描写自然景物的诗也有一些别具风格的佳作，这些诗不求险怪，自也别具一格。例如《山石》一篇："山石荦确行径微，黄昏到寺蝙蝠飞。升堂坐阶新雨足，芭蕉叶大栀子肥。僧言古壁佛画好，以火来照所见稀。铺床拂席置羹饭，疏粝亦足饱我饥。夜深静卧百虫绝，清月出岭光入扉。天明独去无道路，出入高下穷烟霏。山红涧碧纷烂漫，时见松枥皆十围。当流赤足踏涧石，水声激激风吹衣。人生如此自可乐，岂必局束为人靰，嗟哉吾党二三子，安得至老不更归！"全用素描式的散文笔调，描写了从黄昏、深夜到天明的寺里山间的景色，在清淡的笔触中给人一种非常新鲜的感觉。

韩愈的诗歌，不仅纠正了大历以来的平庸诗风，而且在中唐诗坛上开创了一个崭新的局面，把新的语言风格、章法技巧引入诗坛，从而扩大了诗的领域，但是也带来了以文为诗，讲才学，发议论，追求险怪等不良风气。中唐时代的诗人贾岛、卢仝、马异、李贺等人，都不同程度地受了他的影响，不仅学习了他的优点，也学习了他的缺点。这种影响，甚至延及北宋、晚清的许多诗人。

在新乐府派和险怪派两派之外，柳宗元和刘禹锡也算得上是自成一家的诗人。他们两人同时进士及第，在政治上十分激进，一同参加永贞革新，又一同被贬官，两人关系不错。虽然他们的诗大都是在被贬官时所作，但两人的诗风并不一致。刘禹锡的怀古诗写得最多也最好，例如他的《西塞山怀古》；柳宗元写得最好的是那些反映自己贬谪异域的复杂感受与痛苦心情的诗，例如《登柳州城楼寄漳汀封连四州》。另外，刘禹锡更长于近体诗，而柳宗元更长于古体诗。

晚唐诗歌

从唐敬宗宝历元年到唐昭宣帝天祐四年（825～907），共八十三年时间是为晚唐。此时唐代社会的各种矛盾不断恶化，再加上朋党之争和宦官专权，各种社会矛盾更加尖锐，唐朝国势江河日下，诗歌也沾染了浓厚的悲凉色彩和衰落的气象。李商隐和杜牧是晚唐诗坛上的两位杰出诗人，人称"小李杜"。

杜牧（803～853），字牧之，京兆万年人。出身世族之家，其祖父杜祐历仕三朝宰相，著有《通典》一书。杜牧少年时家道中落，但勤奋好学，在二十六岁时中了进士，后又中制科，被授为弘文馆校书郎。此后历任监察御史、左补阙、湖州刺史、中书舍人等职。

杜牧在文学创作上有多方面的成就，诗、赋、古文都足以称名家，他主张文章应该"以意为主，以气为辅，以辞采章句为兵卫"。在诗歌创作上，他"苦心为诗，本求高绝，不务奇丽，不涉习俗"，并能吸收前人的长处，形成了自己独特的风貌，在晚唐诗坛上独树一帜。他的长篇五古诗在唐朝诗坛上十分有名，如《感怀》便是有感于安史之乱以来藩镇割据给人民带来的灾难，夹叙夹议，笔力十分矫健，有杜甫遗风。他的近体诗以文词清丽、情韵跌宕见长。例如他的《早雁》："金河秋半虏弦开，云外惊飞四散哀。仙掌月明孤影过，长门灯暗数声来！须知胡骑纷纷在，岂逐春风一一回。莫厌潇湘少人处，水多菰米岸莓苔。"这首七律诗用比兴托物的手法，对遭受回鹘侵扰而流离失所的北方边塞人民表示同情，婉曲而又余味无穷。他的《九日齐山登高》："江涵秋影雁初飞，与客携壶上翠微。尘世难逢开口笑，菊花须插满头归。但将酩酊酬佳节，不作登临恨落晖。古往今来只如此，牛山何必独沾衣。"却以豪放的笔调写自己旷达的胸怀，其中又有深沉的悲慨。他的咏史七绝也构思巧妙，立意高远，享有盛名，例如《过华清宫》。杜牧的抒情写景七绝也十分有韵味，如《清明》："清明时节雨纷纷，路上行人欲断魂。借问酒家何处有，牧童遥指杏花村。"晚唐诗歌总的趋向是藻绘绮密，杜牧同样也受到影响，也有注重辞采的一方面。但是这和他个人的"雄姿英发"的特色结合起来，就显得风化俊美而又神韵疏朗，气势跌宕而又精致婉约。

李商隐（813～858），字义山，号玉谿生、樊南生，怀州河内人。他是一位很有政治抱负，而又多才善感的诗人。早年就学，"五年颂经书，七年弄笔砚"。九岁时父亲去世，生活颇为困苦。后受到牛党令狐楚的赏识，被招入幕府。开成二年（837），以令狐楚之力中了进士。次年入属于李党的泾原节度使王茂元幕府，王茂元很赏识他的才华，把自己的女儿嫁给了他。因此受到牛党的排挤，终身不得志，潦倒至死。

他的诗歌内容十分广泛，其中一些有感而发的讽喻时政的政治诗，都很有广度和深度。例如长篇五古《行次西郊作一百韵》，描写农村的残破、民不聊生的景象，并追溯了唐朝二百年的治乱兴衰的历程，风格很接近杜甫。抒发自己政治抱负的诗有《安定城楼》："迢递高城百尺楼，绿杨枝外尽汀洲。贾生年少虚垂涕，王粲春来更远游。永忆江湖归白发，欲回天地入扁舟。不知腐鼠成滋味，猜意鹓雏竟未休。"在诗中李商隐历叙了贾谊、王粲、范蠡等人的故事，抒发自己建功立业的志向，并讽刺了朋党之争。其咏古诗，多是借古讽今。如《贾生》："宣室求贤访逐臣，贾生才调更无伦。可怜夜半虚前席，不问苍生问鬼神。"表达了自己怀才不遇的郁闷。他的抒情诗感情深挚细腻，但感伤气息很浓，如"夕阳无限好，只是近黄昏。"李商隐的诗在抒情方面，较少用直抒胸臆的手法，而是致力于婉曲见意，其诗往往寄兴深微，余味无穷。李商隐的诗中最有特色的是他的爱情诗，这类诗又叫无题诗，是他的独创。这些诗写得情思婉转沉挚，辞藻典雅精丽，意象朦胧隐曲。如"昨夜星辰昨夜风""相见时难别亦难"等诗句。李商隐的诗歌的基本风格是情深辞婉，在华丽之中又有沉郁志气，华美而又不失厚重，他的爱情诗对宋代婉约词人和宋初的西昆体诗人都有很大影响。

四、唐代佛教的兴衰

唐代君主的狂热崇佛和会昌灭佛

佛教自汉代传入中国以来，经过魏晋南北朝的漫长时间，得到了相当广泛的传播。佛教在中国的地位在六朝时渐臻稳固。在周武帝禁绝佛教之后，隋文帝又力倡佛教，佛教再度兴盛起来。唐代佛教更是发展到了顶峰，具有不同特点的各个佛教宗派也都在这个时期相继形成。唐代佛教的兴盛与唐朝皇帝的支持是分不开的，唐朝实行儒、释、道三家并用的政策，不仅在政策上，还在经济上给予了极大的支持。唐朝历代皇帝特别是一些有作为的皇帝都很崇奉佛教。

唐代的开国君主高祖李渊就十分崇奉佛教。李渊在做隋朝郑州刺史时，二儿子李世民时年九岁患病，李渊亲自到寺庙祈祷，李世民的病好了之后，他认为这是佛的"保佑"，为了还愿，他造了一尊佛像送到庙里供奉。在他登基做了皇帝之后，武德二年（619）在京师聚集高僧，设立"十大德"管理天下僧尼。之后，大臣傅奕多次上书请求灭佛，同时也鉴于当时寺庙的混乱状况，唐高祖在武德九年（626）下《沙汰僧道诏》，只允许每州留寺、观各一所。其实他是通过这种手段来整顿、净化宗教组织。

到了唐太宗李世民时，他大力倡导佛教。唐太宗自称是菩萨弟子，表示要皈依三宝。为了扶植佛教，他专门颁发《佛遗教经》。他在敕令中说《遗教经》是佛在涅槃时所说之经，其中劝诫弟子十分详细，但有些弟子对他却不够崇奉。因此，他下令由政府找人写经，所需的纸、笔、墨等都保证供应。印成之后，凡官在五品之上及各州的刺史每人发给一卷。如果看见僧尼行为与经文不符，宜公私相劝，令其遵行。唐太宗出于政治目的，还下令在旧战场建寺庙七所，度僧三千，超度双方亡灵。贞观十九年（645），玄奘从印度求法回国，朝廷为他组织了大规模的译场，开始翻译佛经，在当时影响很大。

武则天上台执政之后，把对佛教的崇拜又推向了一个新的高潮。在中国文化传统中，女人一直是不能做皇帝的，一向以"牝鸡司晨，唯家之索"引以为戒，因此武则天做皇帝则名不正言不顺。而恰在这时，佛教的《大云经》使武则天看到了希望。据《旧唐书·则天皇后本纪》中记载，载初元年（690），即武则天当上皇帝的第六年，"有沙门十人伪撰《大云经》，表上之，盛言神皇受命之事。"其中有一段经文说"尔时众中，有一天女，

武则天画像

名曰净光……佛言天女……以是因缘，今得天身。舍是天形，即以女身，当王国土，得转轮王……得大自在……汝于尔时，实是菩萨，现受女身。"武则天得到《大云经》之后，如获至宝，于是立即"制颁于天下，令诸州各置大云寺，总度僧千人……九月九日，壬午，革唐命，改国号为周，改元天授，大赦天下，赐酺七日"。作为对佛教的回报，武则天大兴佛事，广建寺院，铸造佛像。在得到《大云经》之后，又过了四年，即公元693年，印度僧人菩提流志又译出《宝雨经》十卷。在《宝雨经》中，有这样一段话，说东方有一个天子去见释迦，释迦告诉天子说，我涅槃之后到第四个五百年，如果佛法欲灭时，你便到东北方摩诃支那国去做菩萨，现女身，为自在主，令修十善，建立寺塔，又以衣服、饮食、卧具、汤药供养沙门。这段话的时间虽然有些问题，因为佛灭到武则天时只有一千一百七十年，但地点很具体，就是指中国。武则天在得到这本经书之后，大加附会，认为所说的现女身，做自在主的就是自己。因此在同年秋天，加尊号为"金轮圣神皇帝"，以显示自己做皇帝是佛的意思，并表示自己对佛教的信奉。另外武则天还亲自参加了《华严经》的翻译工作，并为之作序。她还对当时的高僧如神秀和慧能礼遇有加。

唐玄宗继位之后，有感于佛教势力的过于膨胀，曾经一度下令减汰僧尼，但还是很尊崇佛教。他在位时期，佛教宗派如三论、天台、唯识、华严、禅宗等都已相继建立。从开元四年（716）开始，印度一些僧人善无畏、金刚智等来到长安，他们在玄宗的支持下，创建了中国式的另一派佛教"密宗"。玄宗还请不空大师到宫中给自己行了"灌顶礼"，从此玄宗成了菩萨戒弟子。开元时期随着经济的繁荣，佛教也达到了它的鼎盛时期。

玄宗之后，除武宗废佛外，其余诸帝基本上都信奉佛教。唐宪宗时期，崇佛活动达到了新的高潮，这就是历史上有名的"迎佛骨"的事情。当时传说，凤翔法门寺的"护国真身塔"里面有佛的一根手指骨，塔门三十年开一次，开则"岁丰人泰"，宪宗听说之后决定迎佛骨入京，在元和十三年（818），他派太监领着一队和尚到凤翔寺迎取佛骨，佛骨到京之后，先在皇宫里供奉三天，然后分送各地寺庙礼敬供养。

但到了武宗时期，武宗崇信道教，希望能够服食仙丹成仙。在道士赵归真、刘玄静的煽动下，武宗在会昌五年（845）下令灭佛。武宗灭佛还有经济上的考虑，当时佛教的势力十分强大，占有大量的地产，许多百姓为逃避赋役，大量托庇寺院，使国家的税收大量减少，再加上一些寺院还发放高利贷，侵夺民田，一些僧侣不受戒规，残害百姓，因此武宗决定灭佛。会昌灭佛共毁废大、中寺院四千六百余所，小寺庙四万余所，焚毁了大量的佛经，并强令僧尼还俗二十六万多人，还没收了寺院的大量田产和佛像等。会昌灭佛使朝廷增加了收入，也在一定程度上缓和了社会矛盾。武宗之后虽然也有皇帝想恢复佛教，但佛教已经元气大伤，再也恢复不到以前的盛况。

会昌灭佛是"三武一宗"（北魏太武帝、北周武帝、唐武宗、后周世宗）四次"法难"中最严厉的一次，从此佛教在中国的强劲发展势头再也没有恢复。

大唐高僧玄奘

玄奘（600~664），俗姓陈，本名祎，玄奘是他的法号，河南洛州缑氏县（今河南省偃师）人。他的曾祖、祖父都在朝廷做过官，他的父亲陈惠虽然早通经术，历任陈留、江陵等地县令，但因不满隋末腐败的政治，于是便挂冠而去，潜心儒学。玄奘早年聪慧好学，博闻强记，他的父亲十分钟爱他，自幼就教他儒家的经文。当时他的二兄长长捷在洛阳净土寺出家，经常带他到净土寺游玩。在二兄长的影响下，玄奘醉心佛学，十一岁就熟习《法华》《维摩》等经书。大约在十三岁时在洛阳剃度为僧，从此投身佛门义海，以其聪慧好学，颇得大家的喜欢。其后听景法师讲《涅槃》，听严法师讲《摄大乘论》，每次听过之后，玄奘都能无一遗漏地复述，并分析得十分透彻，博得大众的钦佩。隋炀帝大业末年，兵荒马乱，玄奘和他的二兄前往长安，此时的长安已经被李渊占领，各寺院的僧众也四分五裂，根本无法正常研习经书，又得知当时很多名僧都到了蜀中，因又同往成都。在成都，玄奘听宝暹讲《摄论》、道基讲《杂心》。在短短的三五年时间里，通晓诸部，声名大振。到唐高祖武德五年（622）玄奘二十三岁，在成都受"具足戒"，不久便生了离开四川到各地游历的念头。他在武德七年（624）离开成都，沿长江东下游学，先到了荆州受到了汉阳王的热情招待，并为他讲《摄论》。在相州，他向慧休法师请教《杂心》《摄论》。在武德九年（626）玄奘又从赵州回到了长安，当时长安有两大名僧法常、僧辩，号称是"解究二乘，行穷三学"。玄奘到长安之后与这两大名僧论道，两人十分佩服玄奘，称赞玄奘是"释门千里之驹，其再明慧日当在尔躬。"玄奘从此"誉满京邑"。

玄奘西行求法图

　　玄奘在"遍谒众师，备餐其说"之后，觉得"详考其义，各擅宗途，验之圣典，亦隐显有异，莫知适丛"，特别是当时流行的《摄论》《地论》两家有关法相的说法很不一致，他很想得到总概三乘学说的《瑜伽师地论》，以求会通，于是下决心要前往印度求取佛法。当时出国之禁很严，他正式上表请示赴印，但没有得到同意，只好作种种准备等待着。贞观二年（628）他和秦州的僧人孝达结伴先到了秦州（今甘肃天水），从秦州到了兰州，应当地人士请求，讲《涅槃》、《摄论》和《般若经》。当时有西域的商旅参加旁听，回去以后，就将玄奘要西行求法的事向各地宣传了。但当时唐朝准备同突厥作战，为防止泄露军事机密，严禁国人出关，玄奘因为没有朝廷颁发的通行证，因此不能过关。玄奘继而潜行到达瓜州，得到瓜州刺史独孤达的回护，于是玄奘和胡人石槃陀一起向玉门关进发，过了玉门关之后，石槃陀因忍受不了路途的艰辛，辞别而返。玄奘从此孑身一人，过了玉门关外，度莫贺延碛，到达西域古城伊吾。高昌王麴文泰得知后，遣使前来迎接，敬礼备至，并想把玄奘留在高昌，玄奘坚拒未允。当时西突厥叶护可汗势力遍及雪山以北各地，要去印度，必须要取得他的协助，因而高昌王派遣使节陪玄奘去叶护可汗衙所，在贞观三年（629）二月，玄奘离开高昌，过阿耆尼、屈支等国，越凌山到达碎叶城，和叶护可汗相见，凭着可汗致所经诸国的信件和陪送的使者，很顺利地通过西域笯赤建等十国，越过大雪山，到达邻接北印度的迦毕试国，从此玄奘开始了在印度的游学生涯。

在印度玄奘历尽艰险，遍历各地，随处就学。后来他到了那烂陀寺，在那里，他受到了热情的接待。玄奘参见了著名的戒贤法师，并被推为通三藏的十德之一，很受优待。他请戒贤讲解《瑜伽师地论》，总共花了一年零五个月才讲完。其后，玄奘为了更广泛地学习佛法，便离开那烂陀寺到处游历。四年之后，重返那烂陀寺，为众僧讲解《摄论》《唯识抉择论》等经，并著有《会宗论》三千颂，得到了众僧的赞许。后来又应戒日王的邀请，在曲女城展开佛教论战大胜而归。从此玄奘在印度声名鹊起。

玄奘学成之后，便想归国，在得到了戒贤的赞许之后，于贞观十九年（645）春天，结束了自己十七年的游历生涯，回到了长安，并带回了六百五十七部梵文经书，从此他埋头译经事业。玄奘西行求法，行程五万里，遍历一百一十

大雁塔

个国，是当时伟大的旅行家。玄奘归国之后，很快就受到了唐太宗的接见，太宗要求他还俗为官，他坚辞不就，表示要致力于翻译佛经。后来应唐太宗的请求，由他口授，他的弟子笔录，将他的西行经历写成《大唐西域记》，详细记述了西域诸国的山川河流，风土人情，成为后来研究西域历史的重要史料。他于贞观二十二年（648）翻译完《瑜伽师地论》，唐太宗为之作序。玄奘在大慈恩寺专注于译经事业，在回国后的十九年间，与弟子一起共译出经书七十五部，共一千一百三十五卷，是我国翻译史上一大壮举。玄奘翻译的经书保留了大量古印度的社会状况，这些又成为研究印度历史的重要依据。

玄奘一生全力译经，无暇撰述，所以没有留下多少著作，他的思想也主要是通过他的弟子窥基留下来的。窥基继承玄奘的衣钵，自创一派，发展成了唯识宗。唯识宗得名于"万法唯识"的基本宗教观念，由于该宗侧重于法相分析，故又名法相宗，另外玄奘西行回国后与弟子长期在长安慈恩寺译经，故又名慈恩宗。

大漠深处的莫高窟

在甘肃省敦煌市鸣沙山东麓的崖壁上，长长的栈道将大大小小的石窟曲折相连，洞窟的四壁尽是与佛教有关的壁画和彩塑，肃穆端庄的佛影、飘舞灵动的飞天……庄严神秘，令人屏声敛息，这里便是世界最大的佛教艺术宝库——莫高窟。

莫高窟，开凿始于公元366年。相传，一位高僧西游至此，见千佛闪耀，心有所悟，于是，凿下第一个石窟。此后以北魏为起点，莫高窟一直走着上升的道路，佛教艺术的花朵，在这荒漠的沙丘中，一朵接一朵地开放着，到了唐初，已经有一千多个石窟，因此莫高窟又被称为"千佛洞"。

公元581年，隋文帝杨坚夺取北周的政权，建立了隋朝。八年后，隋灭了南朝的陈，结束了东晋以来二百七十多年南北分裂的局面，统一了全中国。隋帝国经济及文化的上升，是二三世纪以来以汉族为中心的各民族相互融合共同努力的结果，这在莫高窟艺术中也很明显地反映出来。隋的统治只维持了三十八年就为唐朝所代替，但是在这短短的时期中，却为莫高窟开了不少的石窟，遗留至今的还有九十五个窟，这数量对短祚的隋朝来说是很惊人的。

隋文帝即位之前，北周建德三年（574），曾有过武帝灭法的运动，使佛教艺术遭受了一次很大的打击。隋文帝是崇信佛教的，所以他即位之初就立即复兴佛教，造像起塔，佛教艺术益见兴盛。他在开皇年间（581～600）曾专门派人到莫高窟来兴造佛窟，莫高窟隋代所开的窟中，往往可以看到带有开皇年号的文字。

而莫高窟的真正繁荣，却还是在唐代。莫高窟遗存的洞窟，现存唐代石窟二百余个，几占全数的二分之一，并且艺术水平也是空前的，是敦煌石窟中最辉煌灿烂的一部分。

塑像仍是唐代石窟艺术的主题，有佛像、菩萨像、弟子像以及天王、金刚、力士等。彩塑形式丰富多彩，有圆塑、浮塑、影塑、善业塑等。这个时代的佛像，面相温和、慈祥、庄严、镇定。大多盘膝端坐，作说法或召唤的姿式。衣服的褶皱如绘画的线条，准确地表现了内部丰润的肉体，合乎人体解剖科学但又不拘泥于此，显示了艺术家巨大的创造才能。

菩萨是未成道以前的佛，候补的佛，是佛教中所谓的仙人。最初菩萨是男性，但是随着佛教日益深入民间以及它的世俗化，菩萨的形象成了面目姣好、线条柔和的青年女性形态了。唐代石窟的菩萨像都是袒胸露臂的美丽的女性。她们身段秀美，气度优雅。修长的眉眼，表现了无限的明澈、智慧、温柔而又不可亵渎。小小的嘴、唇角带着微笑，好像在亲切地倾听着人们的祈求。袒露的部分都精微而妥帖地表现了肌肤的细腻润泽，好像里面有血液在流转，脉搏在跳动。衣裙都能表现丝绸的质感，薄薄地贴在身上，扬起的褶皱如微波荡漾，极富于音乐的节奏感。唐代艺术家在少女型的菩萨塑像上歌颂了人类女性的善良、美丽、智慧和尊严，也寄托了他们追求快乐、和平与美好的生活愿望。

在罗汉像的制作上，艺术家又表现了刻画人类性格的卓越技巧。天真无邪的迦叶和世故深沉的阿难是这个方面最好的范例。而天王和力士像则和菩萨像所表现的女性的优美恰恰相反，它表现了男性的刚毅和力量。这些盔甲严整或是裸露上身的像，都同样体现了古代武士威猛、勇猛、正直、坚毅的性格，尤其裸露的部分作了合理的夸张，使肌肉的凸起、关节的强调、青筋的暴露，都有助于蕴藏在内部的、即将迸发的力量的显示。

塑像地位的排列，同样显示出艺术家的苦心孤诣。他们改变了前人把佛放在浅浅的龛柱中最突出的地位的做法，而把它安设在洞窟的中心，他的左右是大弟子阿难与迦叶，再前面是菩萨，菩萨之前有天王和力士。这样，观者首先接触到的是护法的威猛，神情不禁为之紧张。再看到菩萨的亲和、慈祥，乃又松弛下来，最后看到佛的庄严、圣洁、慈悲，便不由得感到自身的渺小和佛法的无边，而油然起皈依之念。作为服务宗教来说，艺术家的这一设计是很成功的。

莫高窟最大的几座塑像都是在唐代完成的。如第九十六窟的坐像高达三十三公尺，是就山崖凿出躯体，表层再加泥塑装饰的。由于它的高大，外面用了一座九层楼才把它罩住。又如第一百三十窟的坐像高二十三公尺，也是这个做法，外面凿通了三层崖壁，才算把它隐蔽起来。还有第一百五十八窟的卧佛也不小。第九十六窟的大佛虽经后代多次拙劣的装修，但大唐气魄仍旧存在。第一百三十窟和一百五十八窟的大像则完好如初，这都是最珍贵的雕塑遗产。

塑像之外，敦煌莫高窟的壁画也是绚丽多彩、规模宏大的。唐代的洞窟内保存着大量以"经变"与供养人为主的壁画，或叙述佛经故事，或描绘供养任务，与前代偏重佛本生及说法图有所不同，光彩焕然、驰誉中外，令人可以从壁画中领会佛教文化及其在中土的演变。壁画中欢快明亮的气氛，代替了以前阴森悲惨的情调：喜庆升平的极乐幻想，围绕着经变内容的描绘，穿插了宴饮、阅兵、行医、商旅、农耕等生活场景，简练真实而富有生活情趣，这与唐代社会经济发展，国势强盛，人民生活安定，有着密不可分的联系。

如《西方净土图》，除了佛与弟子外，图中展示了琼楼玉宇、仙山碧树、乐队高奏、舞姬翩翩、一派花团锦簇、绚烂华丽的气氛，与其说是天上佛国，倒不如说是人间皇帝和贵族生活的再现。

美在洞窟中成为现实，同时充满着美的幻想、幻境，给人以光明。在初唐第三百二十、二百二十等窟中的画很有代表性。《佛说弥勒下生成佛》经文的画中，下半部分描述庄稼一种七收，树上生衣，寒暑自用，路不拾遗，夜不闭户，人民安居乐业的美丽幻想，展示了佛国世界的美好图景。

敦煌壁画的人物造型也在不断的演变之中，由粗犷渐变为精细，男子宽衣博带，气象雍容；女子体态丰肥，艳丽多姿。尤其是菩萨像，更生动地体现了现实生活中女性的美丽，端庄文静，窈窕可爱，温柔亲切，一切如俗，这些均表明隋唐时期的绘画与现实生活联系密切，人们更重视现世的感受。画师们凭着自己对现实的热忱，创造出一幅幅精美绚丽、色调明丽的画卷，他们以非凡的创造力和高超的写实技巧，使隋唐时代绘画的现实主义因素得到充分的发挥。

在莫高窟这个形象万千的大画廊里，最惹人喜爱的莫过于飞天了。飞天叫香音神，是上干闼婆（天歌神）、紧那罗（天乐神）的合称。据说飞天有四千五百多个化

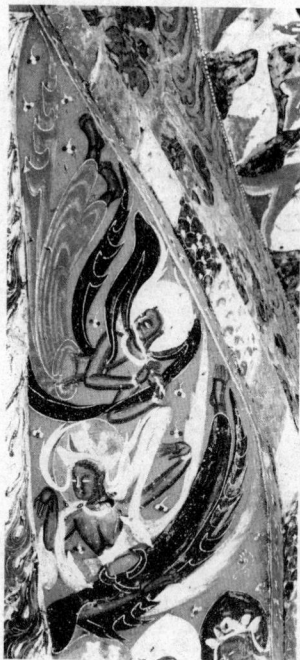

唐代壁画《飞天》

身，自由地在天地间飞翔，真有"天衣飘扬，满壁风动"的效果。为了体现这一美好的幻境，在初唐第三百二十一窟内，飞天拖着长长的飘带，成群结队，纷纷扬扬向下轻盈地飞起来，仿佛彩云飘在深蓝色的天空，又如鱼儿畅游在明净的水中。正如唐代大诗人李白诗中所写："素手把芙蓉，虚步蹑太清，霓裳曳广带，飘佛升天行。"第一百四十六窟飞天手托供物，身上彩带飞舞，加上周围舒卷的云纹，更显得姿态轻盈自如。飞天是莫高窟艺术想像力最为卓越的产物。

但是莫高窟好景不长，公元755年，"安史之乱"爆发了。这不仅是唐朝衰落和崩溃的起点，也是莫高窟由繁荣走向衰微的转换点。安史之乱历时九年，虽被平定，但已严重地摧毁了社会经济，也大大地削弱了唐朝在西北的边防力量。回鹘、吐蕃乘机而起，南北夹击，截断了唐朝通往西域的大道，河西走廊转入吐蕃之手，莫高窟又来了新的统治者。由于吐蕃人信仰佛教，莫高窟得以保存，而且在吐蕃统治的六七十年间，也兴造了一些石窟，至今可以判定的有五个窟，其中包括规模很大、画塑很精美的第一百五十八窟。

9世纪中期，吐蕃发生内乱，开始衰落，唐朝便在这时积极策划收复失地。公元849年唐朝收复了河西走廊的东部，接着走廊西部的人民也在张义潮的领导下起义，打败了吐蕃军队，收复了敦煌及其附近地区。自此河西走廊的全部又重新归属唐朝。张议潮后来被唐朝政府任命为归义军节度使，他的后代长期统治这一地区，莫高窟以张氏家族为中心，曾先后兴造了许多石窟。

五代十国时期，中原割据混战，但是河西地方却比较稳定。梁时张氏没有子嗣，州人推长史曹义金继任。公元923年，义金遣使入朝，被授以权知归义军节度使，自此曹氏世守其地，一直到西夏崛起。一百二十多年间，曹氏以他雄厚的财力和政治力量，役使人民开凿了不少大型的洞窟，还给我们留下了几座彩绘精美的木构窟檐。

西夏兴起是在北宋初年，控制了河西走廊长达二百年。西夏虽然也在莫高窟开凿了一些石窟，但规模都不大。大抵自入宋以后，莫高窟的繁荣便已一去不复返了，这是由于当时佛教势力渐衰，同时也由于海路交通日渐开辟，敦煌失去了往昔作为国际交通要道和贸易枢纽的重要地位所致。因为宋代的国际贸易中心城市，已转移到东南沿海的广州、泉州、明州、杭州等处了。敦煌失去往昔的地位，也使莫高窟的艺术衰微下去。

13世纪初叶，蒙古人勃兴于蒙古草原。公元1227年蒙古人灭了西夏，成为莫高窟的占有者。蒙古人对宗教采取宽容的政策，自身也笃信佛教，莫高窟因而得到了保护。而且在元朝统治时期，也曾在莫高窟开了好几个窟，但这已经是莫高窟艺术的尾声，此后就再也没有人兴造新窟了。

莫高窟从前秦开凿到元代终止兴造，整整延续了十个朝代，经历了一千五百年时间。至今莫高窟经过风沙侵蚀仍保存着十个朝代的七百五十多个洞窟。

五、精神生活的另一指向

永为垂法的书艺

唐代书法艺术继隋之后，楷书、草书步入规范化的发展轨道。纵观整个唐王朝，楷、行、草、篆、隶各种体书都跨入了一个新的境地，时代特点十分突出，出现了影响深远的书法家，其中以楷书、草书的影响尤甚。可以说唐代书法在中国古代书法发展史上，是继晋代以后的又一高峰。这一时代，楷书的书法家大多脱胎于王羲之，但又兼有魏晋以来的墨迹与碑帖的双重传统，并逐渐从王家书派中脱颖而出，风格转呈严谨雄健、法度森整；行草书法家特别是草书家的风格走向飞动飘逸；隶篆虽无大发展，但能承袭秦汉之遗风，形成了严整紧劲或遒劲圆活的风格。其实唐代书法如唐代社会一样也经历了一个酝酿——高峰——衰落的发展过程，根据这个过程可以将唐代书法的发展分为三个时期：初唐，盛唐和中晚唐。

初唐

唐朝初期，社会安定，经济日益繁荣，书法亦蓬勃发展。朝廷定书法为国子监六学之一，设书学博士，以书法取士。唐太宗李世民喜好书法，倡导书学，并竭力推崇王羲之的书法，为搜求王羲之的墨迹不遗余力，还亲自为《晋书》作《王羲之传论》，曾将虞世南、褚遂良等人临摹的《兰亭序》收藏在宫中。李世民本人的书法也是英俊豪迈。太原晋祠前的《晋祠铭》和敦煌石窟中发现的《温泉铭》，都出自这位帝王之手，并且自太宗以下的帝王大都喜好书法艺术。凡此种种，都对唐代书法的发展和繁荣起了重要的作用。

唐初，以欧阳询、虞世南、褚遂良与薛稷为代表的初唐四家在唐太宗李世民的倡导下，努力继承二王父子楷书的自然秀逸的优秀传统，不断更新审美观念，吸收魏体楷书健朗雄峻的风格，创立新的楷书规范，形成初唐风格。但是这时的行草书依然墨守晋法，以右军为宗，没有太多的新意。初唐四家之外，这一时期的书法家还有钟绍京、陆柬之、王知敬等人。

欧阳询（557~641）字信本，潭州临湘（今湖南长沙）人，自幼聪颖过人，历经陈、隋、唐三朝。唐时任太子率更令，世称"欧阳率更"。其书法深受北碑书风影响，有"金刚瞋目，力士挥拳"之称。又学习王羲之的书法，曾重金买取王羲之教子习字的《指归图》反复揣摩，多方融合，形成法度森严、刚正劲险的风格，世称"欧体"，影响极大，曾经有高丽使者奉命来唐购买欧阳询的作品。其书法作品很多，墨迹传世的有《草书千字文》（残本）、《行书千字文》、《史事帖》三种；传世碑刻有《房彦谦碑》《化度寺邕禅师舍利塔铭》《九成宫醴泉铭》。其中以《九成宫醴泉铭》最为著名，现存于陕西麟游，是欧阳询七十六岁时奉诏所作，书写时恭谨严肃，一丝不苟，字体方正挺拔，用笔高华深穆，既有晋人风韵，又开唐人楷法，端庄严整而不呆板，紧密刚劲而不局促，于平稳中见险绝，是欧阳询晚年苦心孤诣所作，有"楷书第一"之称。

虞世南（558～638），字伯施，越州余姚（今属浙江）人，是唐初可以和欧阳询势均力敌的书法家。少年时学于顾野王，十年精思不懈，文章闻名于世。初为隋炀帝近臣，入唐后，为弘文馆的学士，官至秘书监，封永兴县子，故世称"虞永兴"。甚得唐太宗的敬重，死后赠礼部尚书，并绘像于凌烟阁，为二十四功臣之一。虞世南幼时从智永学书，得王氏家传，唐太宗曾临摹王羲之的书法，写"戬"字而空"戈"，让虞世南补上，然后拿给魏徵看，魏徵认为只有"戈"法最妙。虞世南的书法杂糅了北碑的清骨劲体和二王的婉约柔顺之气，所以其书笔致圆融丰腴，外柔内刚，血脉畅通。其作品在元代就已很稀少，今所见存丛帖之外，有《破邪论》《汝南公主墓志》等。唐人《摹兰亭序》三种其中之一传为虞世南的墨迹。《孔子庙堂碑》是其代表作，又名《夫子庙堂碑》，唐武德九年（629）所刻，用笔骨力遒劲，笔势轻盈秀丽，表现出一种外柔内刚之感。

褚遂良（596～658），字登善，钱塘（今杭州）人，祖籍为河南。高宗时官至吏部尚书，封河南郡公，世称"褚河南"。他擅长楷书，书学王羲之、虞世南、欧阳询，能登堂入室，别开生面。他的书法融欧、虞为一，方圆兼具，波势自然，结体较方，比欧、虞舒展。用笔强调虚实变化，节奏感较强，晚年益发丰艳流动，变化丰富。唐人评其书风"字里金生，行间玉润，法则温雅，美丽多方"，他的作品在碑刻方面有《伊阙佛龛碑》《孟法师碑》《房玄龄碑》《雁塔圣教序》《同州圣教序》。传世的墨迹有《枯树赋》、《倪宽赞》、《大字阴符经》、《小字阴符经》和《草书阴符经》。其中刻于唐永徽四年（625）的《雁塔圣教序》最能代表褚体风格，此时褚遂良已经五十八岁，艺术风格已经成熟，手法日臻完善，其用笔方圆兼施，流利飞动，特别精工秀雅。后人对褚遂良高超的书法造诣无不叹服，初唐以后学褚字一时间风靡天下。

薛稷（649～713），字嗣通，蒲州汾阳（今山西汾阳）人，官至太子少保，世称"薛少保"。其外祖父便是名臣魏徵，与当时的欧阳询、虞世南、褚遂良等书法大师是至交，家中收藏甚丰，薛稷因而获观所藏虞、褚书法，临习精勤，遂以善书名世。其书法主要学习褚遂良。唐人说"买褚得薛，不失其节"，但薛稷"用笔纤瘦，结字疏通，又自别为一家"，其弟薛曜与之同一师承，但更纤细，是徽宗"瘦金体"的前源。其楷书的代表作品为《信行禅师碑》。

盛唐

"初唐四家"之后，书法家学习王羲之的势头依然不减，褚遂良的影响方兴未艾，但是已经开始出现由初唐到盛唐的过渡趋势。在过渡阶段的书法家之中，以李邕、孙过庭最为著名。

李邕（675～747），字太和，广陵江都（今江苏扬州）人。他曾任北海太守，所以人们称他为"李北海"，为官刚正不阿，被李林甫所诬杀。李邕接踵初唐，在行楷方面别开天地，迟于欧、虞、褚而略早于颜、柳，他从本质上一改王羲之以来传统行书的结构模式和温润情调，代之以荒率雄沉而端正秀丽的艺术风格，具有承前启后的作用，世人称他为"书中仙手"。他在玄宗朝以文辞、书碑名闻天下，据说其一生撰写碑文八百通，然未必全系其手书，宋赵明诚《金石录》列有目录，李邕书碑仅十七通，今天所见的代表碑刻有《叶有道碑》《法华寺碑》《端

颜真卿《多宝塔碑》

遍满室界行勤圣现业净
宝塔宛在目前释迦分身
身心泊然如入禅定忽见
因静夜持诵至多宝塔品
宝山无化城而可息尔后

州石室碑》《麓山寺碑》《李思训碑》《云麾将军李秀碑》。

孙过庭（648～703），字虔礼，陈留人（今属河南），初唐官至率府录事参军。以草书见长，他的草书"宪章二王，工于用笔"，不同于二王者在于笔笔有新意，奔放率意，不求工整，疏淡而又坚劲是其书法的最大特点，为唐代草书带来新风气。代表作有自撰书法理论名篇《书谱》墨迹和《草书千字文》墨迹。

李邕、孙过庭之后，随着社会经济逐步走向繁荣，文化艺术也有很大的变化和发展。书法风格由初唐方整劲势逐渐走向雄浑肥厚。楷书、草书更彻底地摆脱了王家书派的束缚，形成自己的新风格。这时出现了颜真卿、徐浩、张旭、怀素等著名的书法家。他们分别在楷书和狂草方面开创了新的境界。

颜真卿（709～785），字清臣，琅琊临沂人（今属山东），曾任平原太守，世称"颜平原"，官至吏部尚书，太子太师，封鲁郡公，人们又称之为"颜鲁公"。他的书法初学褚遂良，后又得笔法于张旭，彻底摆脱了初唐的风范，创造了新的时代书风。颜真卿的楷书雄秀端庄，字体由初唐的瘦长变为方形，方中见圆，具有向心力。用笔浑厚强劲，善用中锋笔法，饶有筋骨，亦有锋芒，一般横画略细，竖画、点、撇与捺略粗。这一书风，大气磅礴，多力筋骨，具有盛唐的气象，将楷书发展到登峰造极之境界。他的行草书，遒劲有力，真情流露，结构沉着，点画飞扬，在王派之后为行草书开一生面。

颜真卿传世的作品比较多，著名的楷书墨迹有《竹山堂联句诗帖》《告身帖》；行草书有《祭侄文稿》《争座位稿》《告伯父文稿》，此三稿被称作"颜氏三稿"，尤以《祭侄文稿》著名，有"天下行书第二"之称，另外还有《刘中使帖》《湖州帖》等。颜真卿一生书写的碑刻也比较多，流传至今的有《多宝塔碑》，结构端庄精密，秀美多姿；《东方朔画赞碑》，风格清远雄浑；《勤礼碑》，雄迈清整。另外，还有《麻姑仙坛记》《大唐中兴颂》《元结碑》等著名的墨迹。

张旭醉后草书

　　徐浩（703～782），字季海，越州（今浙江绍兴）人，曾官至太子少师。出身于名门望族。其祖父师道，其父峤之，均是书法家。徐浩自幼精通经术，精于书法。有《古迹记》《论书》传世。徐浩书法以二王为宗，尤其醉心于王献之，书法作品以丰腴圆劲为主要特色，墨迹有《朱巨川告身》，隶书碑有《嵩阳观纪圣德感应颂》，最负盛名的还有楷书《不空和尚碑》。

　　张旭，字伯高，吴（今江苏苏州）人，曾任常熟尉，金吾长史，人称"张长史"。他是一个异人奇士，主要生活在盛唐时期。书法以草书见长，他将王氏父子的今草发展为狂草，书体逆笔涩势、连绵回绕、奇峭恣意，有"草圣"之美誉。唐文宗时曾下诏书，把李白的诗歌、裴旻的舞剑和张旭的草书并称"三绝"。张旭嗜酒，醉后呼叫狂走，而后落笔成书，或者以头发蘸墨而书，被称做"张癫"。其代表作是《古诗四帖》。

怀素《自叙帖》

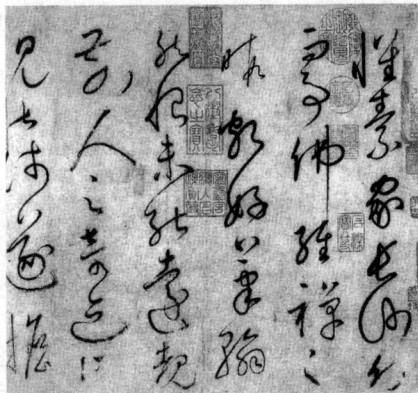

　　这一时期，同样以草书而名传千古的书法家还有怀素。怀素（725～785），字藏真，长沙人，自幼出家为僧，喜爱书法，勤习不辍。他用废的笔头，日积月累，形成"笔冢"。他又好饮酒，酒醉之后，无处不书，故人称"狂僧"。其代表作是《自叙帖》，为中年时所做，自叙它学书的经历，此帖书法线条圆劲，极富弹性，给人以力量饱满、精神奋发之感。张旭与怀素的书法达到了癫狂的地步，是盛唐时期高扬自我的浪漫精神所造就的结果。

中晚唐

　　承颜氏书风独步书坛，中晚唐书法家中能称得上开宗立派的只有柳公权一家。柳公权（778～865），字诚悬，京兆华原（今陕西耀县）人，为人耿介刚正，官至太子少师。他初学"二王"及初唐四家，后来又吸收了颜体的营养，但又自创新意，他避开了颜体的丰腴肥壮，将笔画写得爽利森挺，最后创出刚劲峻拔、端丽而严谨的"柳体"，后世将颜、柳并列，称"颜筋柳骨"。他一生书碑甚多，有《玄秘塔碑》《金刚经》《神策军碑》《福林寺戒塔铭》《送梨帖题跋》《清净经》《寄药帖》《官相帖》《兰亭帖》等数十种。其中《玄秘塔碑》是柳公权六十四岁时所写，代表了柳字的典型风格，是后人学习楷书的入门范本。

中晚唐时期书法的另一成就是篆隶二体又重现书坛，虽未见超出古人之上，但颇有一些名家。篆书以李阳冰声名最大，号称唐代篆书之冠，后人将李阳冰与李斯并称"二

柳公权《神策军碑》

李"。隶书则有韩择木、蔡有邻、李潮、史惟则四家。这时的名家还有徐浩、卢藏用、苏灵之、张从申等人。

中晚唐书法继盛唐之后可谓是盛极而衰，虽有柳公权号称一时之中兴，但始终难掩中晚唐书法的颓势。即便是柳公权的书法，与颜体比较起来也略有高下之分。继柳公权之后虽有杜牧、沈传师、李商隐、裴休等书法知名者，但成就远不如盛唐时期。虽然这与唐代社会由繁荣向衰落转化有很大关系，但是书法有其自身独特的发展规律，初唐书法还带有隋碑瘦硬而刻厉的风格，正是颜真卿的大刀阔斧，创立了丰腴而雄强的书法风格，才令人耳目一新，但是晚唐书法家除柳公权外始终未能在颜体的风格上有所创新，只能囿于颜氏强大的余威之下。直到宋四家（苏轼、米芾、蔡襄、黄庭坚）吸收了颜体的法度而返归晋之意韵，书法发展才进入一个新的阶段。

三尺素绢上的丹青世界——绘画

唐代是中国古代绘画艺术全面发展的鼎盛时期，唐人继承了隋人的传统，继续把北方务实的风格和南方的空灵崇尚相结合，再加上唐代三教并行的文化开放政策，人物、山水、花鸟画都获得了很大的成就。仍居这一时期主流的人物画，在经历了长期的发展之后，融秦汉的纯朴豪放、魏晋的含蓄隽永为一体，进入一个精湛瑰丽的新时期；逐渐走向成

熟并开始独立的山水画、花鸟画也初放异彩。这一时期除
大量壁画外，更常见的是长卷形式。

人物画

唐代人物画的盛兴，与统治者的文化政策密切相关，
唐代从李世民开始积极利用绘画来配合政治统治，描绘国
家的重大政治事件。贞观十七年（643），他下诏绘功臣像
于凌烟阁以表彰那些为李家王朝的建立而立下汗马功劳的
臣子。为迎合统治者的要求，唐代画风由过去表现历史故
事与文学作品转而宣扬现实中的重大历史事件，盛赞统治
者的文治武功，或是直接反映贵族生活。

唐代初年，杰出的画家有阎立德（？~656）、阎立本
兄弟和朗余令、尉迟乙僧等人，其中尤以阎立本最为著
名。阎立本（601~673），雍州万年（今陕西临潼）人，
曾为官高祖、太宗、高宗三朝，官至工部尚书，他以政治

阎立本《步辇图》

题材的历史画和肖像画而扬名天下。《秦府十八学士图》《凌烟阁二十四功臣图》是其奉命为表彰功臣所作，《步辇图》则直接描绘了贞观十五年（641）唐太宗接见迎接文成公主入藏的吐蕃使者的场面。图中唐太宗和蔼慈祥，吐蕃使者禄东赞肃立敬仰，人物神情、仪态刻画细致入微，具有较高的艺术水平，也展示了汉藏友好的关系。由于阎立本受南北朝画风以及传统观念的影响较深，其画中人物脸型略有雷同，仕女的比例仍然很小。

除了政治人物画之外，唐代的释道人物画同样风靡天下，和阎立本同时代的于阗画家尉迟乙僧是这方面的代表。当时全国寺院的很多壁画都是他所作，其最著名的有《降魔变》，他善用从西域传入的天竺凹凸画法，使所画人物具有立体感，同时吸收中原传统的线形勾制，使所画之物层次分明，从而形成了其特有的豪迈、雄伟的画风。

而生活在盛唐时代的画家吴道子，则将宗教人物画及整个唐代的绘画艺术发展到顶峰。吴道子（689~760），出身贫寒，但仍然坚持学习绘画，终于声名大显而被唐玄宗召入宫中，任内教博士官。他在长安洛阳两地绘制了大量的宗教壁画，也画过一些以唐玄宗为中心的历史画和肖像画，并在绘画艺术上多有创见和突破。其一，吴道子长于宗教题材中变相人物的描绘。在其一生所作的三百幅壁画中，涉及到各种变相人物并且各具奇型异状，并能在巨大的画幅中以高度的想像力创造出活生生的情境，使人在观看时受到强烈的感染和震撼；其二，吴道子突破了魏晋到初唐以来的缜丽风格，善庸疏体与白画。现存的摹本《天王送子图》中，人物鲜活生动，没有一点公式化的感觉，着色简淡，在用笔与勾线上具有飘逸而柔韧的效果；其三，吴道子将写实的风格与浪漫精神融为一体，在绘画中给人以强有力的感觉。吴道子的画是盛唐时期国力强盛和文化繁荣的象征，也形象地展示了艺术家内心丰富的情感和豪迈的个性。

政治人物画和宗教画之外，仕女题材的绘画也大量出现，形成了和吴道子一派不同的绘画风格，其代表人物是晚唐的周昉。其实仕女画早在唐初就被重视，这一流派的形成也包括了初唐、盛唐一批以描绘贵族仕女生活的画家，知名的有张萱与韩干，他们都对周昉有着较大的

壁画仕女图

簪花仕女图

影响。

张萱，长安人，玄宗时曾经做过宫廷画师，在取材上他一改汉魏以来的传统而转向表现现实生活，并且在宗教画盛行的时代大力从事风俗画的创作。他的画构图新颖、设色鲜明、用笔简劲流畅。其作品流传至今的有宋徽宗赵佶所摹的《虢国夫人游春图》《捣练图》。

生活在盛世转衰之际的周昉继承并发展了张萱的仕女风格，他的画不仅能体现出时尚的丰腴之美，更注重神情的描绘。据说大历元年（766），他与唐代另一位大画家韩干同时被邀请为郭子仪的女婿赵纵侍郎画像，结果二人所作之画挂在一起，众人难分优劣，只有赵纵的妻子观画后认为韩画只是相貌逼真，而周画却连人物的神态都表现出来了。周昉的画迹现存有《纨扇仕女图》《簪花仕女图》《挥扇仕女图》等，多是描写宫廷生活中嫔妃愁怨的，相对于盛唐时期更多了些凄凉哀婉。周昉还善于画佛教壁画，他创造了"水月观音"的样式，使观音的形象更加世俗化。他的佛教画作为一种流行标准，被后人称为"周家样"。

山水画

在中国绘画史上，山水画、花鸟画的出现晚于人物画，其最初只是作为人物的陪衬而出现，隋唐时逐渐走向成熟。唐代画家虽有专精，但是分科并不是很严格，画家常具多方面的才能。初唐阎立本等虽以人物画为主，但是也继承了前代山水画的成就；吴道子既是人物画家也是山水画家。由于人物画在唐代的高度发展，画家们在人物形象塑造方面的经验，对花鸟画情趣和山水画情趣的探索都起到了促进作用。山水画、花鸟画的创作也都进入了一个新的境界。

山水画发展到盛唐才进入到繁荣阶段，其着眼点已不是早期的陪衬人物或叙述故事，而是更多地表现山水的秀丽和春日的明媚。其代表人物是唐代宗室李思训。李思训（651～718）字建，历武后、中宗，到玄宗时官至右武威大将军，所以也称"大李将军"。其一家人中，弟思海、子昭道、侄林甫、林甫侄凑，在画艺上都有很高的造诣。他的山水画以青绿为质，金碧为纹，使山水画金碧相辉，被称为"金碧山水"，开创了绘画史上的所谓"北宗"画法。他的传世作品有《江帆楼阁图》《九成宫纨扇图》

等，尤以《江帆楼阁图》著名，作品描绘了江水浩淼、山高林密、江河泻、扁舟飘游的景象。其设色精妙，人物传神，意境悠远。

金碧山水创立的同时，唐代的水墨山水画也有了很大发展，代表人物有郑虔、王宰、刘商等，其中以王维、王洽影响最大。王维是诗、书、画兼通的大才子，他退出政坛后寄情于山水。隐居的田园生活再加上诗人的天赋，使得王维笔下的山水自然、逼真、宁静、和谐，具有诗情画意的境界。王维崇信佛教，并将佛教的思想渗透到其艺术思维和审美之中，因而他的画又有空灵、虚无、淡远的境界。王维的水墨画影响深远，明代时将他尊奉为水墨画的世祖。传世作品有《辋川图》《雪溪图》，多描写恬淡的生活环境。

金碧山水和水墨山水之外，泼墨山水是出现于唐代的又一种表现手法。盛唐时代吴道子的画风便有泼墨山水的韵味。晚唐泼墨山水有很大发展，代表画家有韦偃和张通，他们把体现主观的认识和意趣作为山水画创作的一个重要因素，为山水画意境的追求，从理论上提出了明确的创作方法与指导思想。

花鸟、畜禽画

花鸟画与山水画一样在唐代取得了长足的发展，代表人物有薛稷、边鸾等。薛稷（649～713）在书法上名列

韩干《照夜白》

"初唐四家"之一，在绘画上以画鹤闻名于世，薛稷画鹤多在屋壁之上，李白、杜甫都曾写诗给予高度评价。由他创始的六扇鹤样屏风流行一时，并影响到国外。自然界的花鸟可以引起人们丰富的联想，唐代画家通过自己的认识和技巧，在作品中塑造了能引起观者遐想的优美形象，此时花鸟画已形成独立的画种，不再简单地附属于工艺起装饰作用。

除了花鸟之外，唐人对畜兽也有所偏爱，这也反映在绘画上。尤其是唐代尚武之风盛行，人多善驰猎，好漫游，骏马为人们所钟爱，以马为题材的绘画极为普遍，著名画家如韩干、曹霸、韦偃。

韩干，长安人，主要生活在唐代中期，是画坛上的多面手，尤以牛马画著称。韩干善于刻画马的动态美，他以马为题材的画很多，如《照夜白》《牧马图》《调马

韩滉《五牛图》(部分)

图》《战马图》《内厩御马图》《八骏图》等，影响深远，后代许多画家都继承了他的画风。曹霸和韦偃也都是画马名家。曹霸在开元、天宝年间经常奉命绘写御马和功臣，官至左武威大将军，其所画之马深受帝王贵戚喜爱。

除骏马之外，对农业社会有重要作用的牛也被广泛描绘，画家韩滉、戴嵩都善于画牛，名震一时。尤其是韩滉（723～787），出身名门，德宗时宰相，封晋国公。《五牛图》是其代表作，在笔法上用粗放凝重而略显滞拙的线条勾画，强调牛的形体和筋骨，同时又抓住牛沉稳健壮的特点，并且精妙地刻画了牛的眼睛以传情。

总之，唐人画马和牛由富贵气象转入现实风趣，而笔墨也由精细渐渐走向粗放洒脱，这与整个唐朝审美观念发展轨迹也是相同的。安史之乱后的社会与思想都发生了很大的变化，使画家的生活态度由豪情满怀转向冷峻而超逸，在画法上也大有长进。

盛唐之音

乐舞是中国封建礼教体系中的重要内容之一，深受统治者重视。唐代的乐舞是音乐与舞蹈合一的艺术，继承和集中了南朝传统乐舞和北朝各族乐舞，并广泛地借鉴、融合外来因素。国家的安定、经济的发展，也为乐舞的发展提供了机遇，丰富的现实生活和蓬勃的浪漫思想对艺术家们的创作多有启发，并使得民间艺人和大众自发地创造出新的样式。这些都是大唐乐舞在兼容并包的过程中又别开生面。唐代乐舞种类繁多，大体上可以分为雅乐、燕乐和俗乐三个部分。

雅乐

雅乐产生很早，从西周时便建立了一整套乐舞体制，主要用于贵族礼仪活动，如祭祀天地和祖先、举行朝贺

唐代乐舞群俑

或宴享以及庆祝胜利和丰收等，其使用有严格而详细的规定。但是西周雅乐历经朝代变迁而几经沉沦，唐承隋制，可是其雅乐已非先秦雅乐的概念了。唐高祖武德九年（626）便开始修订雅乐，到贞观二年（628）修订工作完成。修定后的雅乐，不仅保留了传统，而且吸收了南北优秀成分，有十二律、三十八曲、八十四调，比隋代雅乐有更大改进，隋代仅用黄钟为律，十二钟仅能叩响七钟，唐雅乐十二钟皆能响。

与乐相配合的是舞，隋代分为文舞和武舞，唐初改变称呼，文舞叫治康，武舞叫凯安。贞观年间确定：献祖庙用光大之舞，懿祖庙用长发之舞，太祖庙用大政之舞，高祖庙用大明之舞。不同的场合用不同的舞和伴奏，不论是文舞还是武舞，都由六十个人来表演。

此后，乐舞的形式不断地改进扩大，唐太宗时制订"秦王破阵乐""七德舞""攻成庆善乐""九功舞"，高宗时作"上元舞"，舞者八十人。虽然后来历代皇帝仍然沿用这些雅乐，并形成一套庞大的礼治乐舞体系，但内中的燕乐成分增加，不过仅存形式而已。燕乐兴起之后，雅乐便不再受重视，复古倾向和脱离现实终于使它失去了生命力。

燕乐

燕乐又称宴乐，早在周礼中就有，主要是指天子和诸侯宴享宾客时所用的音乐。唐代的燕乐有两种含义：从狭义上讲，专指唐代十部乐中的第一部；从广义上讲，是多种音乐的总称，以别于传统的雅乐。燕乐与雅乐音调不同，因而音响效果也有着明显的差别。

唐初，燕乐是按照国家和民族划分的，贞观年间确定了十部乐，有燕乐、清商乐、西凉乐、天竺乐、高丽乐、龟兹乐、安国乐、疏勒乐、康国乐、高昌乐。其中狭义的燕乐主要用于宫廷内宴，唐初制定，包括倾盃曲、乐社乐曲、英雄乐曲、黄骢叠曲四支曲子，都是宫调，后来有所改变。燕乐又根据不同的演出形式划分为"立部伎"与"坐部伎"。立部伎有安乐、太平乐、破阵乐、庆善乐、大定乐、上元乐、圣寿乐、光圣乐八部，其余总称坐部伎。武则天时定坐部伎为燕乐、长寿乐、天授乐、鸟歌万

秦王破阵乐

寿乐、龙池乐、小破阵乐共六部。这些乐曲经过朝廷的修定，被规定在皇帝宴请群臣、招待外国使节或少数民族首领和喜庆活动中使用。

立部伎一般在室外演奏，人数较多，喧闹欢腾，有时还加上百戏等，对参与人员的技艺要求不是太高。坐部伎一般在室内演奏，人数较少，委婉清细，表演也比较文雅，因而对演技要求较高。为了培养和笼络音乐人才，唐玄宗时设立教坊和别教院，最多时聚集的乐工达到万人，并按技艺划分出等级。级别最高的是别教院中的梨园、宜春院和小部，他们可以经常为皇帝表演，被称为"内人"。地位最低的是一些平民家的学艺女子，只能用琵琶、筚篥这些简单的乐器进行演奏，被称做"挡弹家"。唐玄宗还亲自做教练，作词谱曲加以导演。一时之间也有很多乐舞上的优秀人才涌现出来，如歌唱家李龟年、舞蹈家公孙大娘和筚篥名手尉迟青。

就唐代燕乐的内容来讲，最为有名的是大曲和法曲。大曲是在乐府音乐和外来音乐的基础上创造发展起来的大型歌舞曲，是声乐、器乐和舞蹈的综合，能够代表燕乐的全部成就。唐大曲的结构比较庞大，有二十几段、三十几段甚至五十几段的。典型的大曲分为三大部分，每部分包括若干段。"散序"是第一部分，采用节奏自由的散板；"序"就是次序，这一部分是散板，故称"散序"；"散序"是纯器乐表演，有独奏、轮奏或合奏。接下来

的第二部分叫"中序"（表示它是中间部分），因为节奏
固定，已能上"拍"，故又叫"拍序"，又因为它以歌唱
为主（有时有舞），故又称为"歌头"；"中序"多数是
慢板。最后部分称"破"，以舞蹈为主（有时有歌唱），
又称"舞遍"，节奏逐渐加快，以至极快，然后结束。因
为大曲结构庞大，演出一遍时间就很长，曾有诗人形容著
名大曲《霓裳羽衣曲》时间之长说："（船）出郭已行
十五里，唯消一曲慢《霓裳》。"大约要合现在的一个多
小时！唐大曲有四五十部之多，除《霓裳羽衣》外，《绿
腰》《凉州》《破阵子》《玉树后庭花》《雨霖铃》《秦
王破阵乐》等都是大曲的典型作品。安史之乱后，宫廷乐
工舞人失散，再难以恢复盛唐时的乐舞规模，大曲也渐趋
衰落，但是后人依曲调填词者仍然很多，如《八声甘州》
是由大曲《甘州》中截取，《六幺令》乃是由《绿腰》节
选制成。

有一部分大曲又叫法曲，大多清幽典雅，其起源和佛
教音乐有关，唐代时又融合了道教音乐的因素，又称仙韶
曲。唐玄宗最爱法曲，梨园就是为演奏法曲而设，他选了
三百名坐部伎子弟在梨园进行演奏，并亲自指导。

俗乐

俗乐是指各种活跃在民间的表演艺术，因为受到封建
礼乐制度的限制，它们很少能进入宫廷，但由于它们生长

在民间，所以有着广阔的活动舞台和广泛的爱好者，它们的创作者虽然没有宫廷所能提供的优越条件，但是也较少受到宫廷礼制的束缚，因而能够在创作内容和形式上不拘一格。唐代俗乐包括曲子、诗词乐和说唱俗讲。

曲子最初的形式是民歌。安史之乱前，宫廷乐官常从民间采风，收集民歌并对其进行选择加工，增强其艺术性。曲子的流传范围非常广泛，上至王公贵族下至黎民百姓；内容也包罗万象，涉及到社会生活的各个方面。其形式不仅用于独唱，而且还用于说唱和歌舞音乐之中。曲子可以有乐定词，也可以根据词配乐。《苏幕遮》《天子乐》《洞仙歌》《念奴娇》《柳青娘》等都是当时流行的曲子。

诗乐和词乐是在民间曲子的基础上发展起来的，由于唐代诗作的繁荣，也使得唐代的诗乐广为流行。相当一部分唐诗在当时能够配乐歌唱，有很多诗作配合乐曲不断地演变，并且传唱不衰。有些唐诗被大曲采用，进入宫廷。很多唐诗在民间世俗生活中也广为传唱。王维的《渭城曲》是当时最流行的，也是流传最久的作品。诗的原名是《送元二使安西》，写得淳朴而动人："渭城朝雨浥轻尘，客舍青青柳色新。劝君更尽一杯酒，西出阳关无故人。"唐诗中的绝句，由于形式短小精练而长于表达意境与诗人的情感，所以很多都被谱乐歌唱，在诗乐中占有重要地位。

　　唐代歌唱艺术的蓬勃发展、散韵相间的文学体裁的长期繁荣，使得有说有唱的说唱艺术逐渐成熟。"俗讲"就是在唐代兴起的一种说唱形式，最初是寺院僧侣为了传播教义、招徕香客、增加布施而面对世俗大众讲佛经故事，为了加强演说效果，在讲经之外，逐渐采取边讲边唱的形式，说唱一些中国历史故事和民间传说。俗讲有了故事情节和演唱艺术的双重特征后，也就开始走出寺院，在社会上也出现了一些职业的民间艺人，他们把历史与现实结合起来，采用更为活泼的形式，以散文讲述，以韵文吟咏，有时有音乐伴奏，有时配以图画，有时还加以表演，把俗讲发展得更为生动，也逐渐具有综合性的因素。唐代大曲和俗讲的流行，到宋代便形成了品种繁多的说唱技艺，有以唱为主的弹唱、唱京词、唱耍令、唱拨不断、小唱、吟叫等形式；另有以说为主的说译话、学乡谈、学相声等等，可以说俗讲是现代曲艺的一个创始。 俗讲的底本称做变文，是由佛教故事演变而来，如《维摩诘经变文》《降魔变文》，但是也有很多非宗教性的内容融入其中，如《吴子胥变文》《张义潮变文》，到了宋代就演变为话本，此后话本又逐渐演变成为现在的小说。

六、绚极一时的世俗生活

唐士多风流

大唐帝国开创了中国封建时代的空前繁荣，李氏王朝以胡汉双重血统君临天下，在文化政策上兼收并蓄，不仅各民族之间相互融合，而且唐王朝与中亚、西亚等地区的文化也进行了广泛的交流。唐代儒、释、道三教并行在社会上营造了一种相对宽松祥和的气氛，反映在现实中就是世俗生活的绚丽多彩，不断激发着人们的浪漫幻想和积极进取的精神。在社会文化中扮演着重要角色的文人学士此时也尽显风流。

诗酒相和

唐代文人学士最大的雅兴可能就是饮酒赋诗了，诗是他们得以入仕的阶梯，而酒则是他们抒发情怀的手段，因而唐代诗人便与酒结下了不解之缘。李白既是诗仙又是酒仙，民间曾有"李白斗酒诗百篇"的故事流传，讲的是李白醉酒之后仍能为唐玄宗赋诗三首而名扬长安城的故事。诗圣杜甫也同样是不能一日无酒，他在诗中写道："朝回日日典春衣，每日江头尽醉归。酒债寻常行处有，人生七十古来稀。"讲的是他每天上朝回来都要典当衣服换酒喝，并且每次都要喝醉。

"草圣"张旭也是诗酒双全，尤其是其书写时，常常是先喝得酩酊大醉，然后把帽子扔掉、披头散发、狂跑大喝，最后奋笔疾书，有时甚至用头发蘸墨水书写，所写的诗句和草书都极为精彩。

最为嗜酒的文人要数王绩了，他是唐代大儒王通的弟弟，初唐四杰之一的王勃的叔祖。他曾经自作《五斗先生传》，声称自己可以一次饮下五斗酒。而他的朋友则将他嗜酒如命的故事记载了下来：王绩在贞观年间中举，当时太乐府有个府吏焦革善于酿酒，王绩为了喝到美酒便请求吏部将其调到太乐府任职，但是太乐府中的官职是不用进士担任的，便拒绝了他。王绩便屡次请求，终于被安置到太乐府。可是没过几个月，焦革便去世了，还好焦革的妻子袁氏仍然可以酿美酒并经常送给王绩。但是一年以后，袁氏也去世了，王绩不禁感叹道"天乃不令吾饱美酒"，便辞官归隐了。

由饮酒而产生的文坛佳话也不在少数，王维和韩干的故事便是其中一例：诗人兼画家的王维是唐代文人中比较淡泊的一位，但是也比较好酒，并且经常欠下酒债。一次，来要债的是一个小男孩，这个男孩在王维取钱的时候便在地上画马玩儿，王维发现这个小男孩很有天赋，便免费教他作画，这个小男孩后来成为画坛上的一代大家，也就是善画马的韩干。

唐代文人学士还喜欢聚在一起饮酒赋诗，这些才子们不仅要在诗上竞争，更要在酒上一较高低，最出名的聚会要数天宝初年李白、贺知章、李琎、李适之、崔宗之、苏晋、张旭、焦遂八位诗人在长安一家酒楼上拼酒的事。杜甫曾作《饮中八仙歌》记载此事。

云游四方

唐代文人学士喜爱游历名山大川，这也同时政密切相关，安史之乱前多数游历者抱着为国家建功立业，壮志必酬的心态，而后期则有独善其身、坎坷流离的感慨。在游历的过程中，这些文人情之所至不免要挥毫泼墨，因而留下了很多诗篇。

李白一生足迹踏遍蜀中、黄河、江淮、浙江等地区，在他眼中"黄河之水天上来，奔流到海不复回"，庐山瀑布则是"飞流直下三千尺，疑是银河落九天"。杜甫一生也到过很多地方，登临名胜无数，他登上泰山之巅便有"一览众山小"的感受，过三峡时也发出"众水会涪万，瞿塘争一门"的感慨。有许多诗人学班超弃笔从戎，为国家开疆拓土而远

唐诗中的黄鹤楼绘影

赴条件艰苦的边塞。王维初到塞外，便写出"大漠孤烟直，长河落日圆"的佳句。这一时期也出现了一批优秀的边塞诗人，写下了流传千古的作品，如王昌龄的"黄沙百战穿金甲，不破楼兰终不还"，岑参的"忽如一夜春风来，千树万树梨花开"等。

安史之乱后，文人们那种高亢的情调逐渐转向悲凉，李白、杜甫等多数文人饱受颠沛流离之苦。柳宗元心有"千山鸟飞绝，万径人踪灭"的无限凄凉，韩愈的"云横秦岭家何在，雪拥蓝关马不前"，流露了心中万分的抑郁。即使是在笙歌曼舞的秦淮河，杜牧也摆脱不了心中的忧愁，哀叹"商女不知亡国恨，隔江犹唱后庭花"。书生张继游过苏州普明禅院后，夜宿枫桥，写下了"月落乌啼霜满天，江枫渔火对愁眠，姑苏城外寒山寺，夜半钟声到客船"的诗句，吐露着诗人心中的消沉，也写出了大唐王朝的萧瑟和衰败。

也觅红颜

虽然唐代社会洋溢着一种宽松自由的气息，但是也未能逸出中国男女授受不亲的传统礼教之外，只是不反对男子与妓女厮混，并且如果是没有做过嫖客的男人，会被别人看成是一个在事业上不成功的男人，加之唐代文人学士多是放荡不羁之辈，许多人都有狎妓的经历。

李白就曾将他的狎妓生活公开地写出来："我今携谢伎，长啸绝人群。欲报东山客，开关扫白云。"并且李白的狎妓范围甚广，在长安城是胡姬，他在《送裴十八图南归嵩山二首》中写道："何处可为别？长安青绮门。胡伎招素手，延客醉金樽"；在南京是吴姬，"风吹酒花满店香，吴姬压酒劝君尝"；到了西湖岸边就换成了越女，他在《越女词》中说："吴儿多白皙，好为荡舟剧。卖眼掷春心，折花调行客"；在河北则有"歌舞燕赵儿，魏姝弄鸣丝。粉色艳日彩，舞袖拂花枝。把酒顾美人，请歌邯郸词。"相对于比较阔绰的李白而言，杜甫是比较穷困潦倒的，可狎妓的事也是有的，他曾写道："何时诏此金钱会，暂醉佳人锦瑟旁。"

由于科举制的发展，大量的文人入仕，从而统治阶级的整体文化素质提高了，而陪伴统治者的妓女也不得不提高自身的文化修养以迎合统治者。因而有些文人学士在与妓女的交往中对对方有了同情和了解，并开始欣赏对方，把对方作为自己的红颜知己。著名诗人杜牧算得上是一个比较多情的人，他曾为一个死去的吹箫的妓女而伤感，在他的《伤友人悼吹箫妓》里写道："玉箫声断没流年，满目春愁陇树烟，艳质已随云雨散，凤楼空锁月明天。"当他在洛阳一家酒店时，发现一位卖酒女是他在洪州与宣城做沈传师幕府时相识的歌伎张好好。张好好曾被沈传师的兄弟沈述师看中并被纳为妾，没有想到后来竟被遗弃在洛阳，杜牧对张好好深表同情，写下《张好好》一诗，感慨张好好的身世不幸，指责那些玩弄女性的权贵，最后他是"洒尽满衿泪，短歌聊一书"。

但是多数文人对风尘女子并无多少真情可言，张好好的事情不必说了，即使是慨叹着"同是天涯沦落人"的白居易对妓女的态度也极为恶劣，他经常把自家的私妓从家中赶走，让她们自谋生路，或者把私妓当做礼物送人，他就曾把房窦二妓送给崔郎中。

女儿亦展眉

在中国漫长的封建社会中，妇女都处于被歧视、被摧残的地位，但是在唐代社会，总的看来，女子虽然处于受压迫的地位，许多社会规范束缚着女子，但是，唐代与其他封建王朝相比是繁荣、开明的社会，对女子的压制与束缚相对地不怎么残酷，这就使唐代妇女在社会生活的一些方面有比较自由的活动空间，有些妇女的文化素质之高可以和男子相媲美。

比较自由的活动空间

在唐代，男女之间的接触和交往比较自由公开、不拘礼法，妇女也敢于抛头露面，无论是宫廷、官宦、民间都是如此。

在唐代的宫廷中，后妃、宫女都不回避外臣，甚至可以亲近结交，不拘礼节。例如：韦皇后与武三思同坐御床玩双陆，唐中宗在旁为之点筹。唐玄宗的宠臣姜皎常与后妃连榻宴饮。安禄山在后宫与杨贵妃同食、戏闹，甚至通宵不出。宦官们更时常"出入内外，往来宫掖"，结交朝臣外官。以上这些，其中虽有淫乱的成分，但也说明当时风气也的确开放，人们对男女交往不以为怪。

皇家如此，官宦之家也必将效尤。一次，朝廷重臣郭子仪得了重病，朝臣前来探望，姬妾都不回避，唯独卢杞来时，郭屏去姬妾，因为卢貌奇丑，郭为了防止姬妾窃笑会得罪卢杞。著名文人温庭筠少年时喜欢寻花问柳，被官员姚勖鞭打、驱逐，从此坏了名声，屡试不第。温的姐姐对姚十分恼恨，有一天，姚勖有事到温氏家中，温氏死死地抓住姚的袖子不放，大哭不已，把姚狠狠地责骂够了才放他走。姚因为受了惊吓，后来竟得病死了。从此事足见唐代女性的不拘礼节与大胆、泼辣。

唐代民间妇女的社会交往较之于上层妇女就更广泛了。有些唐代妇女还有"胡服骑射"的爱好和风气，喜欢穿上胡服戎装或女扮男装，矫健英武地跃马扬鞭，她们可以骑着高头大马走过街市，还可以参加打球、射猎等活动。民间妇女有时单独和异性结识交往，不避嫌疑。就连道姑、女尼、妓女也可以同达官显贵在一起吟诗作文，与文人学士结为朋友，互相唱和。

民间妇女自身的交际活动也很多，而且有组成社团活动的情况，敦煌文书中就记载有两件"女人社"社约文书。从文书的内容来看，女人社是民间妇女自愿结成的组织，她们以"至诚立社"为宗旨，提倡社员之间的地位平等，"大者若姊，小者若妹"。彼此尊重，相互间提供帮助，一旦有一人遭遇不测，其他社员便自动捐助食油、白面、粟等数量不等的物品，以帮助其渡过难关。尽管"女人社"的成员几乎都是同村社的妇女，但是他们能够自主自愿地组成民间社团，也说明了唐代下层妇女在家庭和社会生活中有着相当大的独立地位。

文化素质

在中国传统的封建社会中"女子无才便是德"的观

念非常盛行，但是唐代的人是主张女子读书识字的，尤其是科举制的兴起，文化教育得到比较广泛的普及，读书识字成为一种社会风气，使得女性有较多机会接受教育。所以在唐代上至宫廷下至民间，能够吟诗作对的女性大有人在。

唐代宫廷对后宫女子的文化素养要求是比较高的，民间女子被挑选进宫，除了要有美丽的容颜外，才艺是一个很重要的条件。而在君臣宴饮的时候，后妃们常常要奉皇上之命以诗相和，这就迫使宫内的女子不得不学习文化知识。并且朝廷还专门在后宫开设了内文学馆，任命宫中有才学的人担任教职，教宫内的女子学习书算才艺，另外宫中还有一批女学士和学官为嫔妃们传授礼乐文化知识。有着这么优秀的学习环境，唐代后宫女子的文化水平得到很大的提高。太宗时的长孙皇后喜读书，能够著述；武则天不仅通晓文史，而且能作诗，精通音律；中宗时的上官婉儿是一位才华横溢的女诗人兼诗歌评论家。

官宦家庭的妇女也是女性群体中文化素质较高的一部分，她们享有一定的特权，其中不乏生活在书香门第的女子，有着优越的学习条件，如柳宗元的祖母尹太夫人，七岁时就通读了《毛诗》及刘氏《烈女传》。唐代有不少名流早年得力于母亲的教诲。颜真卿幼年正是有母亲的训导，才能有后来的大成就。穆宗时的户部侍郎李绅幼年丧父，是他的母亲卢氏教他读书写字。这些事例在历史记载中不在少数，从这些事例中我们可以看出，作为官宦人家的妇女自身都受过良好的文化教育。

生活在社会下层的妇女是一个人数众多、成分复杂的社会阶层，但是唐代社会并未由于他们的地位卑下而排斥她们受教育。唐代科举兴盛，私人办学讲学之风盛行，推动了民间的文化教育，广大庶民阶层的文化素质得到提高，家中妻女受其潜移默化的影响，文化素质也有所提高。而地位卑贱的侍女、姬妾、妓女所接触的多是上流社会的官员和名流学士，也在客观上推动了她们自身文化素质的提高，尤其是妓女，她们自幼在教坊接受教育，出现了许多才貌双全的女子，形成了当时的妓女文学。薛涛（770～832）就是当时妓女文学中最杰出的代表者，她与元稹、白居易、杜牧、刘禹锡等二十多位当朝名士结为文友，有五百多首诗篇传世。

唐代的寺观除了焚香礼佛外，也是重要的文化交流场所。女道士作为社会的一个特殊阶层，有来自各个阶层的女子，有相当一部分女子受过良好的教育，所以也就有一批女冠文人脱颖而出，如李冶、鱼玄机等都是才华横溢的女诗人。

积极参政

在"男尊女卑"的封建社会，参政是男子的特权，女性则被严格地排斥于参政大门之外。《尚书·牧誓》中说

"牝鸡不晨，牝鸡司晨，唯家之索"。告诫统治者女子是红颜祸水，可是唐代却以"女祸"著称于史，不仅宫廷妇女参与政事，而且外庭官员的女性亲属，甚至女尼和女道士也参与政事。

唐代社会开放，宫廷内的管理制度也比其他朝代为宽松，唐代女性有着较自由的政治参与度。早在武德年间，高祖宠爱的张婕妤、尹德妃就与太子李建成结为内援，积极参与两宫之争；太宗时的长孙皇后虽然没有直接、公开地参政，但是实际上对太宗的事业起到了重要作用；武则天则把后宫参政发展到极致，高宗病重时她就代行朝政，后来先后立两个儿子为帝并相继废掉，最终自己做了皇帝；武则天以后，后来者纷纷效法，虽然她们未能登上皇位，有的却是大权在握。中宗时的韦皇后也有做女皇之心，其女儿安乐公主则要求中宗封她做皇太女，并常常将自己写好的诏书的内容遮住而让中宗署名。最后母女二人则毒死中宗，准备直接掌握朝政；武则天的女儿太平公主三次参与组织宫廷政变，并在睿宗时掌握着极大的政治权力，宰相七人，有五个出自其门下，最后她又想发动政变颠覆唐玄宗，失败后被处死。武则天一手培养起来的宫廷女官上官婉儿在中宗朝掌握着生杀予夺的大权；肃宗时的张皇后曾在安史之乱中随驾平叛，后来也是挟制肃宗，一度掌握朝政。中唐以后，社会风气和观念逐渐发生变化，李唐皇室日益重视礼法，同时宦官势力崛起，宫廷女性参政之风才逐渐衰减。

不仅处于权力斗争中心的宫廷女性参与政事，连许多朝廷命官的母亲、妻妾甚至婢女都曾参政议政。唐初名臣郑善果的母亲曾探听他与下属决断事务，如果处理得好，她就会很高兴，处理不好，则不与郑善果说话，每遇到这种情形，郑善果便吓得整天不敢吃饭。唐代后期，县令李侃之妻杨氏、藩帅李希烈之妾窦桂娘、藩将张重政之母等等，她们或是抗击强藩的进攻，或参与谋划天朝的藩土，或阻止亲人据地自立。

另外，不少作为唐代社会特殊阶层的女巫、女尼、女道士和歌伎也得以结交权贵，参与某些军国大事的策划。肃宗的时候，女道士许灵素曾参与张皇后谋立太子的事件中；僖宗朝的女尼王奉仙曾在藩镇战争中被尊为将帅军师，军中赏罚战术都取决于她。上文所提到的妓女文学的代表者薛涛也曾以高等歌伎兼秘书的身份，历事韦皋到李德裕共十一届地方幕府。

婚姻与性的自由

唐代社会对女子贞操的要求相当宽松，从宫廷到民间，人们性生活的自由度相当大。这是由于正处于封建社会鼎盛时代的唐朝，封建礼教远没有发展到后来那么严酷的地步，加之唐代高度繁荣昌盛，统治者有充分的信心和力量，所以在性以及其他方面的控制更为宽松。再就

是唐代是一个汉族"胡化"、民族融合的时代。李唐皇族
本身就有北方少数民族的血统，他们曾长期与北方少数民
族混居生活，又发迹于鲜卑族建立的北魏，尔后直接传承
鲜卑族为主的北朝政权，所以在文化习俗上沿袭了北朝传
统，"胡化"很深。唐统一天下后，就将这些北方少数民
族的习俗带到中原。同时，唐代各民族之间的交往及国
际交流空前频繁，气魄宏大的唐朝对外来的文化习俗也
兼收并蓄，当时许多少数民族的婚姻关系还比较原始，
女性地位较高，性生活比较自由，这些文化习俗对唐代
社会的影响十分强烈，渗透到了社会生活的各个领域，
有力地冲击了中原汉族的礼教观念。主要表现在婚前性行
为较多、婚外性行为较多、离婚和再嫁比较普遍这三个
方面。

从总的看来，唐代的婚姻缔结主要还是依靠媒妁之
婚，要遵从父母之命。但是，未婚男女私结情好的事也
比较多。后世广为流传的《西厢记》出自唐代的《莺莺
传》，莺莺和张生私通，实际上这个故事的结局也并不像
后世所改成的有情人终成眷属，而是莺莺另嫁，张生另
娶，后来两人还有诗赋往来。从《莺莺传》中还可以看
出，当时人们对此并不以为怪，而且作为佳话韵事传颂不
已。由此可见，唐人对子女婚前的贞操并不十分计较，失
身而又另嫁也视为常事。遍览唐人的传奇和笔记，闺阁少
女或女仙、女鬼"自荐枕席"的事俯拾皆是，这正是社会

现实的真实反映。

当然，也决不能认为唐人都提倡婚前性行为，只是对此要求不苛刻而已。有些文人和学者对婚前"失贞"还是有所谴责、有所劝诫的。例如诗人李商隐曾批评当时的世风说："女笋上车，夫人不保其贞污"，意思是新娘子不一定是处女。

在唐代，不仅婚前性行为发生较多，而且婚外性行为也发生较多，宫廷生活如此，民间也是如此。贞元中，文士李章武寄宿于华州一市民家，与房主的儿媳相爱交欢并且发誓生死不渝。当时的社会风气，对妻子的贞节要求不那么严格，对婢妾就更无所谓了。当然，如果婢妾与人私通，主人发现后也会大发雷霆，严格惩罚，但这可能主要是由于自己的尊严被侵犯了，而婢妾的贞操还是次要的。

封建礼教对于女子离婚与再嫁是作了许多严酷限制的，社会对离婚与再嫁的态度也反映出社会的开明程度、婚姻自由度和性自由度。唐朝仍是封建社会和男权社会，在婚姻问题（结婚与离婚问题）上仍旧是以男子为中心，男子休妻的事很多，可是唐代的特点是在社会生活中大量存在休妻现象的同时，女子主动提出离异或弃夫而去的事也时有发生。唐末有一位李将军之女，由于战乱离散，嫁给一名小将为妻，后来她找到了亲属，便弃她的夫君而去。

女子离婚或丧夫后再嫁也是唐代的普遍风气，不受社会舆论谴责。据《新唐书·公主传》载，整个唐代，公主再嫁的达二十多人，当时的朝廷对此是不以为怪的。此风不仅存在于朝廷帝王之家，而且存在于官僚、贵族以至于平民之家。一代大儒韩愈的女儿先嫁其门人李汉，离婚后又嫁给樊仲懿，可见读书人家也不禁止女儿再嫁。

俗人多泛酒，谁借助茶香

酒和茶在唐代饮食中占有重要地位。酒文化在我国可谓源远流长，但是由于酿酒要耗费大量的粮食，故而唐代以前的历代统治者对平民酿酒、饮酒多采取禁止政策。唐代经济不断发展，粮食供应充足，统治者的酒禁不断放宽，从而促进了酿酒技术、饮酒习俗和观念的一系列变化。同时唐代也是茶文化的大发展时期，对以后各个时代茶文化的发展有着深远的影响。

饮酒习俗

唐代酒的种类繁多，大体上可分三类：黄酒、果酒和从波斯引进的外国酒。黄酒又可分为清酒和浊酒两类，浊酒带一定的渣滓，或酒糟没有过滤干净，在饮酒之前临时压榨过滤，过滤后的酒便是清酒，这个过程大概就是李白"吴姬压酒劝客尝"诗中的"压酒"。葡萄酒的酿造技术在唐代也大有改进，人们在酿造时不再加曲，而是让葡萄

胡旋舞

自然发酵。

唐代的喜欢饮酒，不仅是文人学士，上至皇室贵族，下至市井村人都有饮酒的习惯，而且形成了一定的饮酒习俗。如果是在冬天饮酒，便要喝烫沸的沸酒；在宴会上一般是饭后饮；元日喝屠苏酒，要从年龄最小者开始，并且巡酒到最后；聚宴饮酒，一般要设有"酒纠"，高雅的叫"觥录事"，来监督维护饮酒秩序。另外还有很多佐饮的活动，例如有饮食、唱歌、观舞、击鼓、行酒令、狎妓等。

唐代人好饮，酒店也随之兴起，这个时期人们饮酒除了在公堂、家中或野外，更多的是在酒肆和酒店里。根据《开元天宝遗事》记载，从长安城东边的昭应县一直到长安城东城门的大街，这一百多里路的两边都是酒店，人们在大路边上卖酒，行人根据自己钱的多少来买酒，有的还馈送，可知赶路的人几乎都喝酒。在南方的广州，人们也是好酒，每天晚上醉倒在大街上的都会有二三十个人，他们头朝下被马驮回家，而且有些还是女人。

而唐代最有特色的酒店非"胡姬酒肆"莫属。唐代，胡人来我国经商开店，除做珠宝杂货生意外，经营酒肆也是主要行业。在长安（今陕西西安），胡人酒肆主要开设在西市和春明门到曲江一代。酒肆的服务员，即是西域的女子，被称为"胡姬"。她们是促使胡酒在唐代城市盛行的一个重要因素。在我国古代青年女子当垆不多的情况下，这些"胡姬酒肆"曾为唐代长安饮食市场开创了新的局面。

胡姬在正史中没有记载，但翻开《全唐诗》，可见其中有许多描写。初唐诗人王绩曾以隋代遗老身份待诏门下省，每日喝酒要喝一斗，被称为"斗酒学士"，他在《过酒家五首》中最先描写了唐代城市里酒肆中的胡姬："洛阳无大宅，长安乏主人。黄金销未尽，只为酒家贫。此日常昏饮，非关养性灵。眼看人尽醉，何忍独为醒。竹叶连糟翠，葡萄带曲红。相逢不令尽，别后为谁空。对酒但知饮，逢人莫强牵。依炉便得睡，横瓮足堪眠。有客须教饮，无钱可别沽。来时常道贳，惭愧酒家胡。"这里饮酒饮葡萄酒，去的又是胡人开的酒店，而且钱少了不好意思进门，很显然有为侍酒的胡姬准备"小费"的意思。为了胡姬而去酒店饮酒，在唐代城市里是一种世风，张祜有一首《白鼻䯄》写得很清楚："为底胡姬酒，常来马鼻骟。摘莲抛水上，郎意在浮花。""胡姬酒肆"常设在城门路边，人们送友远行，常在此钱行。岑参在《送宇文南金放后归太原郝主簿》中写道："送君系马青门口，胡姬垆头劝君酒。"酒肆中除了美酒，当然还会有美味佳肴和音乐歌舞。李白在《醉后赠王历阳》中写道："书秃千兔毫，诗裁两牛腰。笔纵起龙虎，舞曲指云霄。双歌二胡姬，更奏远清朝。举酒挑朔雪，从君不相饶。"他在另一首诗《前有一樽酒行二首》之二中又写道："琴奏龙门之绿桐，玉壶美酒清若空。催弦拂柱与君饮，看朱成碧颜始红。胡姬貌如花，当垆笑春风。笑春风，舞罗衣，君今不醉将安归？"可见当时长安以歌舞侍酒为生的胡姬为数不少。

胡姬侍酒，收费一定很高，大概只有贵族少年才敢不断光顾胡姬招手的酒肆。李白在《少年行之二》写道："五陵年少金市东，银鞍白马度春风。落马踏尽游何处？笑入胡姬酒肆中。"他在另一首《白鼻騧》中也写道："银鞍白马騧，绿地障泥锦。细雨春风花落时，按鞭直就胡姬饮。"胡姬来到中原，克服了旅途的艰辛，为此，她们在酒肆里强作欢笑时也在思念自己的家乡和亲人，如李贺《龙夜吟》所述："卷发胡儿眼睛绿，高楼夜静吹横竹。一声似向天上来，月下美人望乡哭。直排七点星藏指，暗合清风调宫徵。蜀道秋深云满林，湘江半夜龙惊起。玉堂美人边塞情，碧窗浩月愁中听。寒砧能捣百尺练，粉泪凝珠滴红线。胡儿莫作陇头吟，隔窗暗结愁人心。"不过，胡姬在酒肆里服务态度和收入都是不错的，这是数百年间酒肆里能保持胡姬侍酒的主要原因。

胡姬酒肆里的酒，大都是从西域传入的名酒，像高昌的"葡萄酒"，波斯的"三勒酒""龙膏酒"等。高昌"葡萄酒"的酿制方法在唐太宗平定高昌后传入我国，太宗便在皇家园林种植葡萄，并酿制葡萄酒赏赐群臣，这是在中原仿制西域酒的开始。波斯的"三勒酒"是庵摩勒、毗梨勒、诃梨勒三种酒的合称。顺宗时，宫中还有古传乌弋山离（伊朗南路）所酿的龙膏酒。

唐代茶文化

我国古代茶的饮用到唐朝时随着南北文化的交流才普及到北方。玄宗开元年间，人们的生活水平普遍提高，生活情趣也逐渐丰富。同时由于佛教地位的提高，僧人坐禅需要饮茶，于是饮茶便在全国范围普及开来。茶叶的产量也大大增加，据《茶业通史》得出的估量统计：在唐德宗建中元年（780，恰巧也是陆羽《茶经》问世的当年）茶叶产量已超过二百万市担，约有十万吨。茶叶产区已遍及今四川、陕西、湖北、云南、广西、贵州、湖南、广东、福建、江西、浙江、江苏、安徽、河南等十四个省区。而其最北处，已达到河南道的海州(今江苏连云港)。从总体上看，唐代的茶叶产地已达到了与近代茶区相似的局面。由于茶区的扩大和产量的增多，各地茶叶生产的质量有了很大提高，新品、名品不断出现，唐代李肇的《唐国史补》中就列举了二十一种名茶，在唐至五代的茶叶专著和文学作品中，对唐代的茶叶名品也多有记录和描写，据有关资料统计，唐代生产的主要茶叶名品约有一百五十多种。

由于唐代饮茶之风的兴盛，自然也就出现了专门对茶叶进行研究的人，这些人中最负盛名的便是被后人奉为"茶圣"和"茶神"的陆羽（733～804）。陆羽《茶经》的问世，是中国乃至世界茶叶生产发展史上光辉的里程碑，也是世界上第一部"茶道文献"。陆羽的《茶经》为中国与世界茶道、特别是东瀛茶道奠定了理论基石。陆羽把他大半生的心血和精力献给了茶学和茶道文化事业。

饮茶的普及使得各种茶叶店铺兴盛起来，同时也发展了饮茶的方式和习俗。唐代的饮茶方式有两种，一种是将茶末放在壶缶等器物之中，用开水冲泡后便可以饮用了，大致与现代人饮茶的方式相近，不同的是唐代人放置的是茶末，而现在用的是茶叶。这种方式被陆羽称为"痷茶"。

另一种是所谓的"煮茶"，《茶经》中有较详细的描写，第一步是把饼茶炙干、碾碎、罗好，使之成为极细的粉末。第二步是煎水。煎水首先要找好水，南方煎茶用的七种水，按等级高下依次为：扬子江南泠水、无锡惠山泉水、苏州虎丘寺泉水、丹阳县观音寺水、扬州大明寺水、吴淞江水、淮水。找好水后把它放在茶釜中煎，这时要注意煎的"汤候"。陆羽认为煎水过程中水有三沸："其沸如鱼目微有声，为一沸；缘边如涌泉连珠，为二沸；腾波鼓浪为三沸。"到第三沸就是"水老"而"不可食"了。第三步，当水出现一沸时，适量加以食盐调味，到第二沸时，先留出一瓢汤来，随时用竹夹搅动釜中水，使水的沸度均匀，然后用小勺取一定量的茶末放入，同时再搅动。第四步，在搅动的过程中水继续沸腾并浮出泡沫，这种泡沫一般称为"汤花"，这时把水初沸时舀出的一瓢水投入釜中，以缓和水的沸腾并培育出更多的汤花，然后把釜从火炉上拿下。第五步，向茶盏中分茶。分茶的妙处在于分汤花。汤花有三种：细而轻的叫"花"，薄而密的叫"沫"，厚而绵的叫"饽"。一般来说，一壶水为一釜，一釜茶汤可分五碗，不能再多，多了就没有味道了。至此，煎茶分茶全部结束。

随着饮茶方式和风俗的发展，茶道也在寺院、宫廷及文人学士间逐渐发展起来。在唐代中期，怀海禅师（720~814）在江西洪州百丈山创立了寺院茶禅仪规，即人们通常所说的《百丈清规》，全名为《敕修百丈清规》，又称《古清规》。自唐至元，历代因时损益，诸本杂出，元世祖特敕百丈大智寿圣禅寺住持德辉重新修改，由龙翔集庆寺住持大䜣校正，即今所传之《百丈清规》。全书八卷共九章（一祝厘、二报恩、三报本、四尊祖、五住持、六两序、七大众、八节腊、九法器），这部佛书为禅宗寺院的僧职制度、礼仪程式等都作出了明确规定，同时也对寺院的茶禅礼仪制度作出了详细的规定。寺院一切茶事活动必须依章而行，不得有任何随意性。这便是寺院茶道的由来。

在唐代寺院禅茶（又称为禅宗仪规）道兴起的同时，亦随之兴起了文士茶道。唐代中期文士茶道文化大兴的主要标志是陆羽三卷《茶经》的问世；在陆羽旅居湖州、特别是唐大历中颜真卿任湖州刺史期间，以湖州为中心的唐代文士茶出现了一个空前兴盛的发展时期。当时的许多隐逸高人和社会名流，都倾慕颜鲁公、陆鸿渐和寺僧皎然上人之名望，云集湖州，参预了由陆羽创立、皎然倡导、颜鲁公积极支持的文士茶道活动。当时最为人们所推崇的就是"陆式茶品饮法"和高人逸士雅集时举行的各种形式的茶宴。当时，在品茗或茶宴中，已十分讲究人、文、茶、水、器和品茶时环境的选择；把品茶与赋诗、联唱、赏茶、玩月、抚琴等各种文艺形式相结合，把传播茶道文化知识和探索品茗意境紧密地联系起来，从理论到实践上开创了一个盛极一时、影响深远、规范化的文士茶道模式。若是看过国内或国际上一些饶有名气的茶道（团体）表演的话，就不难看出尽管融入了时代的或本民族的文化特色，但无论是从茶道的文化内涵和艺术表现形式，还是品茗或茶道中强调的人、文、茶、水、器等诸多方面，都可以感觉到唐代的中国文士茶道的深刻影响。

　　饮茶习俗在北方的普及也影响到皇宫，宫廷茶道也渐渐兴起。中国古代的宫廷茶道文化并非始于唐代，早在距今三千多年的西周宫廷，已设置了司掌宫廷茶事的官员，并有近乎茶宴形式的"聚茶"的饮茶方式，这亦可看做是中国古代早期的宫廷茶道。关于唐代宫廷茶道的史实文字记录，迄今仍未发现有价值的文献。能从不同侧面印证唐代宫廷茶文化的大体有：唐初画家周昉的《调琴茗图》，张萱的《明皇和乐图》和唐代佚名画家的《宫乐图》。这几幅被人们视为"茶画"的唐代绘画艺术作品，从若干侧面反映了盛唐时期唐玄宗及唐宫嫔妃、仕女的品茗、抚琴、和乐的宫廷生活情景。其次能直接反映唐代宫廷茶道文化的就是唐代的贡茶制度和每年夏历三月三日在宫廷举行的以头纲贡茶来祭祀祖先分赐近臣的盛大"清明宴"了。

　　最能反映唐代皇家气派的宫廷茶道是每三十年一次的迎送佛骨仪式。在唐王朝二百八十九年的历史上，从唐太宗李世民下召令起，历代帝王要每隔三十年开启法门寺塔地宫一次，以最高的法会和礼仪形式将佛骨从扶风法门镇迎回长安宫中供奉，以祈祷海晏河清，国运昌隆。1987年4月3日重建法门寺塔时，曼茶罗大坛场发掘出一大批唐代宫廷稀世珍宝，它们随佛骨一同敬藏于皇家寺院法门寺护国真身塔内。法门寺院宝塔地宫中出土的这批珍宝是唐末僖宗李儇于乾符元年（874）最后一次将佛骨连同供奉的古器珍品密封于地宫的。而唐代的历朝帝王在每一次迎送佛骨和以象征圣洁的茶和珍贵的茶具供养佛祖时，不仅体现出"皇家之厚福无涯"，能"天上之庄严""极人间之焕丽"，而且表示了帝王对佛教之虔诚。由此也可想像每隔三十年一次的迎送佛骨的仪式，就是最隆重最盛大的宫廷法会和茶道仪式了。

七、千古长安城

不睹皇居壮，安知天子尊。唐都长安，是在隋都大兴城的基础上，经扩建、修缮而形成的。城郭呈长方形，东西较长，约九千七百米；南北较短，约八千六百米。周长近三十七公里，面积达八十四平方公里，是我国历史上最为宏大的帝王都城。"天人合一"是中国传统文化的核心之一，中国古代城市规划深受这一思想的影响，地上的城市往往是天上的写照，从而使城市被称为宇宙的象征。"天子"居住的都城更是如此，唐都长安城这一人间杰作亦不例外。

恢宏的长安城

"千百家似围棋书"，这是唐代大诗人白居易用来描绘这种独特的布局格式的诗句，它形象地概括了唐都长安城内的街坊布局。长安城建筑上的最大特色是城内街道均为东西或南北向，排列整齐、方向端正，宽畅阔达，宛如一块规则明朗的棋盘。仔细想来，那星罗密布的宫殿和街

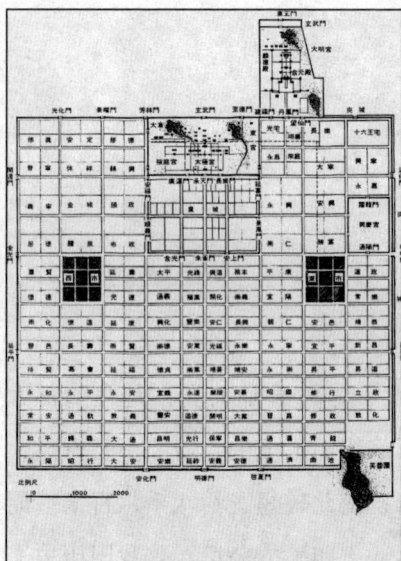

唐代长安城平面图

坊群，像天上星星那样罗列，又像棋子似的分布，简直就是一盘下不完的围棋。

长安城有十三座城门，其中东西南三面各有三门，北墙则开四门。阴历闰年有十三个月，故十三座城门象征着一年有闰；北端乃宫城所在，是皇帝起居和办公的处所，将这多出来的一个"闰"门放在北墙，象征着皇家"闰气"。

人体阴阳之划分有许多种方式，其中一种即为：阴为静，代表人体的皮肤；阳为动，代表流动的血液；城墙为表面，相当人的皮肤；街道为内部，相当人之血液。这种阴阳之理在唐都长安城的建筑布局中得到更为广泛的应用，不但城墙、宫墙为方形四周开门，被街道隔列开来的坊，周围也皆用夯土筑成围墙，四面开门，四面临街。

城内南北大街十一条，东西大街十四条。其中贯穿南面三座城门和东西两面六座城门的六条大街为主干道路，号称"六街"。南北向的三条大街分别为启夏门街、朱雀大街和安化门街，宽度都在百米以上。其中间的朱雀大街宽达一百五十米，是城内最宽的街道。朱雀大街之名由皇城朱雀门而来，它北连朱雀门，南达明德门，贯穿唐长安城的南北，是全城的主轴。其中北段自朱雀门到宫城正门承天门一段，位于皇城内又叫"天街"。皇城南面，连接着春明门和金光门的大街是东西向的主干街，它与朱雀大街十字交叉，把全城连为一体，使整个皇城和宫城显得更加雄伟，形象更为高大。

长安城中东西、南北交错的二十五条大街，将全城分为两市一百零八坊。其中以朱雀大街为界将城区分为东西两部分：东部隶属万年县，本应有五十五坊，因城东南角曲江风景区占去两坊之地，故实领五十三坊；西部属于长安县，有一市五十五坊。

一百零八坊排列的象征寓意为：一百零八坊恰好对应寓意一百零八位神灵的一百零八颗星曜；南北排列十三坊，象征着一年有闰；皇城以南，东西各四坊，象征着一年四季；皇城以南，南北九坊，象征着《周礼》一书中所记载的所谓"五城九逵"。

从各坊的大小来看，皇城和宫城东西侧各坊面积较大，皇城以南各坊面积较小。各坊的兴衰也随着唐王朝政治的变化而有兴衰，如唐初以太极宫为皇宫时，皇城东西两侧各坊比较繁荣，而高宗至睿宗时，以大明宫为中枢，其南各坊又成为繁华区，到玄宗执政时移居兴庆宫，兴庆宫附近各坊再随着兴盛起来。长安城各坊尽管大小不一，繁荣程度有别，但其结构却基本一致。皇城以南的三十六坊，因近靠宫阙，仅有东西街道，故只开东西门，不开南北门。据说这样安排是为了防止泄掉"王气"，破坏了风水。坊的内部，又以宽十五米的小街将坊分成四个部分，层层分割，形成十六块小区，布局十分严整。

唐长安城的街道坊巷可谓匠心独运，它那整齐划一的结构，使整个皇城都显得落落大方，秩序井然。遥想千百年前威震世界的大唐帝国，其郁郁乎都城风貌尽情显露出一派大国风范。无怪乎时至今日，世界各国有华人聚居的地方还被称之为"唐人街"。

壮丽的皇宫

传统风水在建筑上提倡子午向，即坐北朝南，这一提倡被历代帝王所推崇，唐都长安最初的宫殿建筑均为坐北朝南的子午向。我国古代帝王的座位，身在北方，面向南方。因为帝王是一朝之长，宛如至上，所以帝王坐在北边，北就是"上"，而坐在南边的群臣则为卑下，南就成"下"了。此外，将宫城南面之门命名为"朱雀门"，而将宫城内太极宫的北门命名为玄武门，此皆来源传统风水中的"左青龙、右白虎，前朱雀、后玄武"之说。有其名必有其实，太极宫的北门既然被命名为玄武门，它就必然带有与之对应的"坎"卦之象征寓意（八卦中坎象征陷）。唐初围绕继承皇位而发生的宫廷之战——玄武门事变即在这里发生，恰好与之不谋而合。由此看来，城市街道、建筑的命名大有讲究。还有，在太极宫中太极殿以北建有两仪殿，"两仪"之称谓也是出自《周易》，"是故，易有太极，是生两仪，两仪生四象，四象生八卦。"可见，《周易》对传统建筑的影响面之广。

唐都长安城在内部结构上，由外城郭、皇城、宫城以及大明宫和兴庆宫等部分组成。中轴线朱雀大街的北端，是国家权力的中心——皇城。皇城的最北边，隔横街又有一座小城，这就是宫城。宫城呈长方形，面积为0.7平方公里。其东、西两面城墙系皇城墙往北的延伸，北墙则直接与郭城北墙相重合。

宫城共有三部分组成，即掖庭宫和东宫左右对峙，中间拥簇着太极宫。东宫和掖庭宫规模都较小，各自只占宫城的一小部分。东宫是皇太子的居住和办公之地；掖庭宫的作用则比较特殊，它主要用来收容犯罪官僚的子女，让他们在宫中进行劳动和学习技艺，其实质就是现在的"少年劳动教养所"。

宫城的主体建筑为太极宫，太极宫是由原隋代大兴宫改建而成的，位居长安城中轴线的最北端，用以象征皇帝的"至高无上，南面称王"。太极宫是唐初政治中心，唐高祖李渊和太宗李世民统治时期，主要在这里活动。

太极宫设南北两门，南门为正门，又叫承天门，它正对长安城的中轴线天街和朱雀大街。门外与皇城之间，是一个宽达四百四十米的广场，唐王朝的许多重大朝外活动，多数都在这里进行，如改元、大赦、元旦、冬至大朝会、阅兵以及授符等。每当这时，皇帝都是登上承天门，文武百官群集广场，场面非常雄伟壮观。太极宫内共有十六座大殿，其中太极殿、两仪殿、甘露殿和延嘉殿称之为四大殿。此外还有中书省、门下省、舍人院、弘文馆以及凌烟阁和望云亭等重要建筑。太极殿是太极宫的前殿，为太极宫的主体建筑，据说太极宫的名字也即因太极殿而来。太极殿是宫内举行"中朝"的地方，每月的朔望两日，皇帝在这里接见群臣、处理政务，届时文臣武将分班列座，皇帝端坐于前，共商国事。太极殿以北建有两仪

大明宫含元殿复原图

殿，这里是举行所谓"内朝"的地方。内朝是一种皇帝与小范围臣僚共商国事的仪式，通常只有少数决策大臣，即皇帝的亲信才有资格参加。所以朝仪比较简单，也非常随便，但内朝在影响王朝决策方面却起举足轻重的作用。所以有国政大事，往往要先在此殿商讨、决定，然后再递到大殿，于"中朝"时跟众大臣议论。

在唐长安城中，有三处宫殿群体，除了太极宫外，城北墙外禁苑里有大明宫，城东部的隆庆坊有兴庆宫。三座宫城，彼衰此兴，在唐朝历史的不同阶段，各自占据了一席重要之地。大明宫，原称永安宫，是贞观八年（634），李世民为其父太上皇李渊所修的一座避暑之宫。李渊死后，永安宫改名大明宫，一直无人居住，成为一座离宫。到唐高宗李治时，因其身患风湿病，厌恶太极宫内潮湿，便搬来地处龙首塬上地势高、地面干燥的大明宫里。改建后的大明宫设十一座宫门，其中最重要的是南面的丹凤门（取"丹凤朝阳"之寓意）和北面的玄武门（取"北方玄武"风水之说）。宫内有含元、宣政和紫宸三座大殿，同在一个中轴线上。含元殿为前殿，殿前东西两侧有翔鸾、栖凤两座高大的楼阙，含元殿的作用是和丹凤门配合举行外朝的地方。含元殿北边的宣政殿是举行"中朝"的地方，殿外两侧设近臣机要办公的官署，最北边的紫宸殿则是举行"内朝"的地方。此外，大明宫内的麟德殿最为著名，它建筑在大明宫北部太液池之西的高地上，是宫内宴会、藩臣来朝、宰相奏事以及开设道场的地方。

太极宫和大明宫在布局方式上是基本相似的，兴庆宫与前二者大不一样，后者的整体布局特征是不墨守成规、因地制宜、风格多样，如正宫门向西开，可谓别出心裁，与前二者相比，更显得活泼奔放而又雄伟豪华，内部建筑如兴庆殿、大同殿、南熏殿以及勤政务本楼和花萼相辉楼都是楼式建筑，园中遍种牡丹与其他花卉。风流天子李隆基在此造就了他的伟业，也酿成了他的悲剧。

八、方寸间自有天地——唐三彩

　　唐代是中国封建社会的鼎盛时期，经济上繁荣兴盛，文化艺术上群芳争艳，唐三彩就是这一时期产生的一种彩陶工艺品，它以造型生动逼真、色泽艳丽和富有生活气息而著称。它吸取了中国国画、雕塑等工艺美术的特点，采用堆贴、刻画等形式的装饰图案，线条粗犷有力。它主要是在陶坯上涂上彩釉，在烘制过程中发生化学变化，自然垂流、相互渗化，色彩自然协调，花纹婉转流畅，是一种

唐三彩载乐骆驼俑

唐三彩骑卧驼俑

具有中国独特风格的传统工艺品。

　　唐三彩的制作工艺十分复杂，首先要将开采来的矿土经过挑选、春捣、淘洗、沉淀、晾干后，用模具做成胎入窑烧制，采用的是二次烧成法。从原料上来看，它的胎体是用白色的黏土制成，在窑内经过1000~1100摄氏度的素烧，将焙烧过的素胎经过冷却，再施以配制好的各种釉料入窑釉烧，其烧成温度为850~950摄氏度。在釉色上，利用各种氧化金属为呈色剂，经煅烧后呈现出各种色彩。由于人物的头部是不上釉的，所以釉烧出来以后，有的人物需要再开脸。所谓的开脸就是在人物的头部画眉、点唇、画头发这么一个过程。然后这一件产品才算完成了。

　　唐三彩的造型丰富多彩，一般可以分为动物、生活用具和人物三大类，而其中尤以动物居多。唐三彩的突出特点在于造型生动和色彩绚丽。它的造型与一般的工艺品不同，如图所示，这匹马与其他时代出土的马也不同。首先它的造型比较肥硕，这个马的品种，据说是从西域进贡来的，所以和我们现在看到的马的形状有点不大相同，马的臀部比较肥，颈部比较宽。唐马的造型特点，是以静为主，静中带动。这是一匹静立的马。它重点突出马的眼部，马的眼部刻成三角形、眼睛圆睁，然后马的耳朵是贴着的，它好像在静听或者听到有什么动静一样，它通过这样的细部刻画来显示出唐马的内在精神和韵律。

唐三彩的另外一个特点就是釉色。在一件器物上同时使用红绿白三种釉色，这在唐代本来就是首创，但是匠人们又巧妙地运用施釉的方法，将红、绿、白三色交错、间错地使用，然后在高温下经过烧制以后，釉色又交融流溜，形成独特的流窜工艺，出窑以后，三彩就变成了很多的色彩，它有原色、复色、兼色，人们能够看到的就是斑驳陆离的多种彩色，这是唐三彩釉色的特点。

唐三彩不仅是艺术品，它还保留着时代的烙印，是历

三彩马及牵马俑

唐三彩陶立女俑

史的最好见证者，这一时期的人俑塑造，风格比较明显，一改魏、晋时期秀骨清相的作风，女俑丰满富态，男俑英武得体，形象地体现了生活中的情景。唐代的对外经济和文化交流异常活跃，闻名于世的丝绸之路加强了对外贸易，海路贸易也日见频繁。出土的大量胡人俑印证了当时有许多外国人在中原一带生活，他们多从事商业和艺术活动。经常可以见到胡人牵着骆驼、背负着丝绸等货物的唐三彩艺术品，形象极其生动。在伊朗、伊拉克、埃及、俄罗斯、印尼以及日本等国家都发现了大量唐三彩，说明唐代对外出口贸易的发达。

现今所见的唐三彩陶器，大都出土于盛唐时期，其烧制数量之多，质量之精，代表了唐三彩烧制的最高水平。然而从晚唐开始，唐三彩的制作逐渐走向衰败。

九、尾声——换了人间

　　唐朝自高祖李渊建立以来一直蓬勃发展，到开元年间，唐朝已进入了全盛时期，但随着玄宗日益怠于政事，盛唐开始走向衰亡。公元742年，玄宗改元天宝，并先后任命李林甫、杨国忠为相；重用蕃将安禄山等人，兵权旁落，终于导致"安史之乱"。天宝十四年（755）十一月，安禄山发动叛乱，十五年，攻占唐都长安。玄宗撤至四川成都，而太子李亨北走灵武。七月，李亨到灵武之后，即位称帝，是为肃宗，改元至德，尊玄宗为太上皇。自天宝十四年至广德元年（755~763）正月，"安史之乱"方为

胡人牵驼俑

平息。前后历经七年零两个月，"安史之乱"是唐王朝由盛到衰的转折点，叛乱大大削弱了唐王朝的实力。在战争中，人民群众特别是黄河中下游人民遭到了空前的浩劫，北方经济受到很大破坏，出现了千里萧条、人烟断绝的惨景。同时，唐朝中央的力量削弱了，各地出现了四十多个大小军阀，形成了藩镇割据的局面。即使是在中央政权内部，宦官专权和朋党之争使得唐王朝的统治日益衰微。

唐代后期，藩镇割据使得唐王朝名存实亡，藩镇权力极大，其一是在人事权力上，军中主帅或父子相承，或由大将代立，朝廷无法过问。藩镇对幕府人员的任用，中央也无法干涉；其二是节度使可以对上缴中央后的军费自由支配；其三是对州县的监察权，藩镇在很大程度对州县的官员有任免罢黜权。藩镇具有如此大的权利，中央政权却没有一支可以震慑全局的武装，这就造成地方的拥兵自重，经常反叛中央。故而，晚唐的政权主要以平息叛乱为主，而无暇顾及经济文化等方面的发展。加之"安史之乱"的重创，使唐朝的国力每况愈下，一蹶不振。李唐王朝因此再未恢复往日的盛世景象。肃宗及其之后的代宗、德宗等皆昏庸无能、宠信奸臣、疏远贤良，致使唐帝国的统治更加恶化，加之吐蕃、回鹘等外族不断对唐帝国构成威胁，此时的唐王朝已内忧外患重重。公元806年，宪宗李纯即位，在朝臣的帮助下，夺回了由藩镇割据的淮西等地，暂时使唐朝恢复统一。但宪宗自认有功，独断专行、宠信宦官，最终为宦官所害。之后，宦官的地位甚至与皇帝不相上下，穆、敬、文、武、宣、懿、僖、昭八个皇帝都是由宦官拥立的，皇帝成了宦官手里的傀儡，且皇帝多是些平庸之流，甚者专以游乐为事，宦官成为了唐帝国的真正掌权者。

唐宪宗死于公元828年2月，次年，穆宗即位。自穆宗后，皇帝多信服食长生药，在以后的十代皇帝中，仅因服食丹药而死的就有三人，并且从此牛李党争开始加剧，这更加速了李唐王朝的灭亡速度。公元874年，黄巢、王仙芝等人起兵反对唐朝，并一度攻下长安。虽然起义最终失败了，但是自此以后，唐朝被封锁在一个以长安为中心的小圈子里，唐帝国的统治已岌岌可危。公元907年，曾为黄巢部下后归降唐朝的梁王朱全忠，逼迫唐哀帝退位，自己代唐称帝，建立了梁王朝，至此李唐王朝对中国的统治宣告结束，中国从此进入了另一个分裂时期——五代十国。

唐朝后期，由于北方的连年战乱，黄河流域的经济遭到严重破坏。而相对比较稳定的南方，逐渐成为唐朝的经济中心。与北方不同的是，在南方经济中，手工业有了更加重要的地位。中唐以后的手工业，是在前代的生产基础上发展起来的，以造船、铸造、丝织业而言，在技术上都超越了初唐，并且随着手工业的进步与提高，使商业贸易也得到了蓬勃发展。长江中下游的新兴城市大多以商业为主，如洪州、苏州都是当时的商业贸易中心。

虽然有着南方经济的发展，但是帝国仍是无可挽回地衰落了，热烈奔放的盛唐文化也发生了转向，逐渐走向了内敛、走向了冷峻。虽然仍有杰出的文化人出现，但是其成就和影响难与盛唐时的人物相比肩。我们从唐代最为兴盛的诗歌发展脉络便可以看出这一趋势，中唐出现最为著名的文人当属杜甫、白居易。杜甫的《兵车行》《三吏》《三别》等作品不仅有很高的文学欣赏价值，而且从另一个方面反映了当时社会的动荡不安的现实，但是这些文学作品已失去了盛唐时代的恢宏气势。残酷的社会现实、颠沛流离的生活，终于斩断了文人理想的翅膀。

附录

大事年表

魏晋南北朝·隋·唐

220年

- 魏立九品中正制
- 曹丕称帝，国号魏（220~265）建都洛阳。汉亡

263年

- 蜀亡
- 刘徽约于本年注《九章算术》，创割圆术，计算圆周率等

265年

- 司马炎迫魏帝禅位，国号晋（265~420），魏亡
- 裴秀组织编制《禹贡地域图》
- 魏晋之际阮籍、嵇康、山涛、向秀、刘伶、阮咸、王戎号竹林七贤

281年

- 汲郡战国墓中《竹书纪年》等竹简出土

285年

- 陈寿著《三国志》成书

304年

- 匈奴刘渊即王位，建国号汉（304~318）。十六国

（304～439）时期开始

316年

· 刘曜围攻长安，晋愍帝出降，西晋亡

317年

· 司马睿在建康称晋王，史称东晋

318年

· 司马睿称帝

· 汉亡。刘曜称帝

347年

· 《华阳国志》成书

351年

· 苻坚称天王、大单于，国号秦，史称前秦（351～394）

353年

· 王羲之于会稽山阴兰亭作《兰亭序》

385年

· 乞伏国仁自称大单于，史称西秦（385～431）

386年

· 拓跋珪称代王，旋改称魏，史称北魏（386～534）

394～416年

· 开凿麦积山石窟

397年

· 鲜卑贵族秃发乌孤自称西平王，史称南凉（397～414）

398年

·魏入邺，后燕慕容德南徙滑台为燕王，史称南燕
（398～410）

·魏王拓跋珪称帝，迁都平城

399年

·孙恩起义海上。孙恩卒后，卢循继之

·法显西行天竺（今印度）求佛经

400年

·李暠为凉公，史称西凉（400～421）

401年

·后秦姚兴迎鸠摩罗什至长安。佛教大盛

402年

·顾恺之（341～402）卒。传世摹本有《洛神赋图》
和《女史箴图》

409年

·高云被杀，后燕亡

·冯跋自称燕天王，史称北燕（409～436）

410年

·刘裕破广固，南燕亡

414年

·西秦袭乐都，南凉王秃发傉檀降，南凉亡

417年

·刘裕北伐入长安，后秦亡

420年

· 刘裕废晋恭帝称帝，定都建康，国号宋（420~479），史称刘宋。东晋亡，南朝（420~589）开始

421年

· 北凉沮渠蒙逊破敦煌，西凉亡

423年

· 魏筑长城，防御柔然

· 魏太武帝崇奉道士寇谦之，道教大盛

427年

· 陶渊明（365~427）卒

439年

· 魏灭北凉，统一北方。十六国结束，北朝（386~581）开始

444年

· 临川王刘义庆卒。曾招聚文士撰《世说新语》

445年

· 范晔卒。撰有《后汉书》，与《史记》《汉书》《三国志》合称"前四史"

446年

· 魏太武帝用崔浩言，禁佛教，毁佛寺、经、像，坑杀僧人

451年

· 裴松之卒。曾注《三国志》，开创作注新例

462年

·祖冲之奏上《大明历》。他首次把圆周率准确数值推算到小数点后7位数

479年

·萧道成废宋帝，自称皇帝，国号齐（479~502）。史称南齐

495年

·魏始凿龙门石窟，历东西魏、北齐、隋、唐、北宋

·魏为天竺僧人跋陀建少林寺（在今河南登封），为禅宗祖庭

496年

·魏定族姓，鲜卑诸姓均改为汉姓

502年

·萧衍在建康称帝，国号梁（502~557）。史称萧梁。齐亡

·刘勰《文心雕龙》约成于本年

507年

·范缜著《神灭论》

527年

·郦道元卒。著有《水经注》

·昭明《文选》在此后数年编成

533~544年

·贾思勰著《齐民要术》，为中国现存第一部完整的

农书

534年

· 高欢在洛阳立元善见为帝，旋迁于邺，史称东魏
（534~550）。自此魏分东西

535年

· 宇文泰在长安立元宝炬为帝，史称西魏（535~556）

547年

· 杨衒之作《洛阳伽蓝记》

550年

· 东魏高洋称帝，国号齐，史称北齐（550~577）。
东魏亡

· 宇文泰创府兵制

555年

· 突厥破柔然，逐契丹，成为北方大国

557年

· 西魏宇文觉称天王，建都长安，国号周，史称北周
（557~581）。西魏亡

574年

· 周武帝禁佛道二教，毁经、像，令僧徒还俗

577年

· 北周灭北齐，统一北方

· 周武帝宣布灭佛，毁齐境佛像，没收寺院资产，令
僧徒还归编户

581年

·杨坚代周称帝，国号隋（581～618），建都长安。北周亡

·铸五铢钱，统一钱币。颁行《开皇律》

605～618年

·李春建安济桥（赵州桥），为中国现存最早的单孔石拱桥

606年

·隋炀帝始建进士科，典定科举制度

608年

·凿永济渠，开通以洛阳为中心，北通北京，南通杭州的大运河

·李渊称帝，国号唐（618～907）

626年

·李世民伏兵玄武门，杀太子建成、齐王元吉，旋即帝位

628年

·玄奘赴天竺。645年取经回长安，撰《大唐西域记》

634年

·始建大明宫

635年

·景教僧阿罗本入长安。638年建大秦寺。1625年出土唐代大秦景教流行中国碑

640年

·唐太宗命孔颖达等撰定《五经正义》

641年

·文成公主入藏

·欧阳询卒。他和虞世南、褚遂良为初唐三大书法家

659年

·颁世界第一部官修药典《新修本草》

664年

·武则天垂帘听政

673年

·阎立本（？～673）卒。有《步辇图》《古帝王图》传世

682年

·孙思邈（581～682）卒。著有《千金要方》和《千金翼方》等

694年

·摩尼教由波斯人拂多诞传入中国，时称明教

·唐与吐蕃首次会盟

710年

·刘知几撰成《史通》

713年

·始凿乐山大佛

713 ~ 755年

　·唐玄宗设梨园教习乐舞

724年

　·僧一行制成铜黄道游仪；次年制成铜铸水运浑天仪，首次实测子午线长度

738年

　·唐玄宗封南诏皮罗阁为云南王，赐姓名蒙归义

　·《唐六典》成书

约760年

　·吴道子卒

770年

　·杜甫（712 ~ 770）卒

　·岑参卒

780年

　·陆羽撰世界上第一部茶叶专著《茶经》

　·始征茶税

785年

　·颜真卿卒。传世有《多宝塔碑》

　·僧怀素卒

801年

　·杜佑撰成中国第一部典章制度通史《通典》

802年

　·骠国王摩罗思那遣子率乐队、舞蹈家入贡

804年

· 日本学问僧空海抵长安留学

808年

· 清虚子著《太上圣祖金丹秘诀》记载原始火药配方。火药发明当在此之前

819年

· 柳宗元（773~819）卒

824年

· 韩愈（768~824）卒

831年

· 元稹卒

842年

· 刘禹锡卒

846年

· 白居易（772~846）卒

858年

· 李商隐卒

859年

· 浙东裘甫起义

865年

· 柳公权卒

868年

· 王阶刻印《金刚经》，为世界现存最早的雕版印刷

品

892年

·始凿大足石窟

907年

·朱温即帝位，国号梁，史称后梁（907~923）。唐
亡。五代十国（902~979）开始

916年

·耶律阿保机称帝，建契丹国

923年

·李存勖在魏州称帝，国号唐，史称后唐（923~937）

·李存勖攻入开封，后梁亡。唐帝迁都洛阳

953年

·沧州铁狮子铸成

·西瓜由回鹘传入黄河流域